Les Cinq et Le Galion d'or

Une nouvelle aventure des personnages créés par
Enid Blyton racontée par Claude Voilier.

Illustrations : Frédéric Rébéna.

Le texte de la présente édition a été revu par l'éditeur.

Hachette Livre, 43, quai de Grenelle, 75015 Paris.

Les Cinq et Le Galion d'or

Une nouvelle aventure des personnages créés par Enid Blyton racontée par Claude Voilier.

Illustrations
Frédéric Rébéna

Claude

11 ans.
Leur cousine. Avec son fidèle chien Dagobert, elle est de toutes les aventures.
En vrai garçon manqué, elle est imbattable dans tous les sports et elle ne pleure jamais… ou presque !

François

12 ans
L'aîné des enfants, le plus raisonnable aussi.
Grâce à son redoutable sens de l'orientation, il peut explorer n'importe quel souterrain sans jamais se perdre !

Mick

11 ans comme Claude.
C'est un casse-cou (un gourmand aussi !) qui n'hésite jamais avant de se lancer dans les plus périlleuses aventures...

Annie

10 ans
La plus jeune, un peu gaffeuse, un peu froussarde !
Mais elle finit toujours par participer aux enquêtes, même quand il faut affronter de dangereux malfaiteurs...

Dagobert

Sans lui, le Club des Cinq ne serait rien !
C'est un compagnon hors pair, qui peut monter la garde et effrayer les bandits.
Mais surtout c'est le plus attachant des chiens...

chapitre 1

Des Robinsons bien tranquilles

— Mick ! Ouvre vite la porte de la remise ! François ! Détache l'amarre du canot ! Annie ! Regarde une dernière fois les bagages et vois si nous n'avons rien oublié ! Et toi, Dag, cesse de tourner en rond pour chercher ta queue. Elle est toujours à sa place.

— À vos ordres, patron ! répond Mick en esquissant un petit salut militaire.

— Bien, mon capitaine ! lance François en se figeant au garde-à-vous.

— Oui, oui, Claude ! dit Annie en comptant pour la troisième fois les paquets autour d'elle.

— Ouah ! fait Dagobert en cessant de jouer au derviche tourneur.

Claude Dorsel fronce les sourcils, partagée entre l'agacement que lui cause l'empressement moqueur de ses cousins et une vague envie de rire. C'est que, si Claude est facilement irritable, elle a par ailleurs le sens de l'humour.

Pour l'instant, elle est pleinement heureuse. Comme chaque année, les vacances d'été les réunissent, ses trois cousins Gauthier et elle. Avec Dagobert, le chien inséparable de Claude, les quatre enfants se sont baptisés Club des Cinq ! Les Cinq s'intéressent à tous les mystères, toutes les énigmes qui s'offrent à eux. Et les vacances sont une période idéale pour exercer leurs talents de jeunes détectives.

Actuellement, cependant, ils songent à autre chose qu'à mener une enquête. Les quatre cousins entendent profiter de leur liberté toute neuve pour jouer aux Robinsons.

M. et Mme Dorsel, les parents de Claude, habitent au bord de la mer. Leur villa, *Les Mouettes,* est située près du petit village de Kernach. Le jardin descend jusqu'à la plage même. C'est là que, dans la remise à

bateaux, est rangé le *Saute-Mouton,* le canot de Claude.

— La porte est ouverte, mon capitaine ! annonce Mick avec un air de gravité comique.

— Tout est paré, patron ! ajoute François qui a dénoué l'amarre en un clin d'œil.

— Je crois que notre matériel est au complet ! achève Annie en fourrant dans sa poche la liste qu'elle vient de consulter.

Claude se met à rire.

— Je dois vous paraître ridicule ! s'écrie-t-elle. Mais tant pis ! Nous allons camper dans mon île et je suis si contente que j'ai l'impression d'être un véritable chef d'expédition.

Avec ses cheveux bruns coupés court, ses jambes bronzées et nerveuses qui émergent de son short bleu, elle ressemble plus à un garçon qu'à une fille.

Mick, qui a onze ans comme sa cousine, lui ressemble beaucoup : mêmes yeux noirs et vifs, même tignasse brune, même vivacité dans les gestes et dans la voix.

François – l'aîné de la bande avec ses douze ans – et Annie (la benjamine, dix ans) sont plus calmes de nature... Blonds, avec des yeux bleus, le frère et la sœur tempèrent un peu le caractère pétulant des deux autres.

Dagobert, qui tient bien sa place au sein du Club des Cinq, n'est pas un chien ordinaire. Sa race... hum... mieux vaut ne pas en parler ! Mais quelle intelligence ! Quel flair ! Avec ça, il adore Claude et la suit comme son ombre. Sa petite maîtresse sait pouvoir compter sur sa bravoure, son dévouement et sa fidélité.

— Allez ! Poussons tous ensemble ! À nous la mer !

Si Claude était le commandant d'un bateau pirate prêt à se lancer à l'abordage, elle ne manifesterait pas plus d'enthousiasme.

— Minute ! proteste François. Donne-nous au moins le temps d'embarquer notre matériel de camping !

Claude rougit. C'est elle, le chef du petit groupe mais, souvent tête en l'air, elle a besoin d'être rappelée à la réalité par François...

Riant, pataugeant, faisant semblant de se chamailler, les quatre cousins poussent le canot à l'eau. Bientôt, tout le monde étant monté à bord, Claude et Mick prennent les avirons et rament en direction de l'île de Kernach.

Cette île, aussi surprenant que cela puisse paraître, appartient à Claude. Ce sont ses parents qui la lui ont donnée en toute propriété. Évidemment, ce n'est qu'un pan de terre, mais les enfants le considèrent comme une sorte de paradis.

L'île de Claude est à la fois pittoresque, romantique et mystérieuse. Elle possède tout ce que l'on peut rêver de mieux : une petite crique bien protégée des vents, une plage de sable fin, des rochers, une source d'eau pure, de l'herbe, de grands arbres et aussi – chose rare – un vieux château en ruine dont les murs encore debout dominent altièrement l'océan.

Tandis que Claude rame, elle se dit qu'elle a bien de la chance de posséder une île pareille. Là-bas, on peut se croire réellement coupé du monde.

— Eh ! Claude ! Tu rêves ! jette Mick brusquement. Tu dévies, ma fille ! Fais attention !

Claude foudroie son cousin du regard. Si elle a une chose en horreur, c'est bien d'être traitée de « fille ». Elle aurait tant souhaité être un garçon ! Contrairement à Annie, elle déteste coudre, faire la cuisine et s'occuper du ménage. En revanche, elle adore les jeux turbulents, et sa hardiesse effraie parfois Mick lui-même.

— Oh ! Ça va ! bougonne-t-elle tout en donnant un coup d'aviron pour redresser l'embarcation.

Encore quelques efforts et le canot pénètre dans la petite anse abritée de l'île. Avec des cris de joie, François, Mick et Claude sautent dans l'eau peu profonde et tirent le bateau jusqu'à un anneau de fer scellé dans le roc.

Annie descend posément. Dagobert s'ébroue déjà sur le sable en poussant des « Ouah ! Ouah ! » enthousiastes.

— Dépêchons-nous de monter notre matériel là-haut, conseille François. Ensuite, j'irai mouiller le canot un peu plus loin. Le temps paraît au beau fixe, mais sait-on jamais ! Mieux vaut ne pas laisser le *Saute-Mouton* trop près des rochers !

Le temps est véritablement splendide. Dans le ciel d'un bleu très pur, le soleil brille déjà, éclatant, en dépit de l'heure matinale.

— Allez, hop ! ... Tu as les tentes, François ? Mick ! Prends les piquets ! Je me charge des matelas pneumatiques... Si la batterie de cuisine est trop lourde pour toi, Annie, laisse-la ! Nous reviendrons la chercher !

— Il nous faudra redescendre de toute façon pour prendre le réchaud et les provisions, fait remarquer François. Inutile de t'agiter, Claude ! Il n'y a pas le feu !

Le sentier qui mène de la crique au plateau herbeux dominant la mer est raide et plutôt malaisé. Mais les enfants ont de bonnes jambes et le pied sûr. Quant à Dagobert, avec ses quatre pattes, il va plus vite que n'importe qui. Il est vrai, comme le fait remarquer Annie, qu'il n'a rien à porter, lui !

Claude ne peut s'empêcher de bavarder comme une pie et de s'agiter comme un diablotin. Elle adore venir camper dans son île. Là, au moins, elle peut crier et chanter à sa guise, sans craindre de troubler les savants calculs de son père, assez sévère sur le chapitre de la discipline.

— Oui, conclut-elle tout haut, cette île est vraiment un refuge idéal où personne ne viendra nous déranger !

Une fois arrivés sur le terre-plein, face au vieux château, les enfants jettent leur matériel sur l'herbe et se mettent à monter les deux grandes tentes : une pour les filles, l'autre pour les garçons. Une troisième, plus petite et carrée, est dressée à proximité : elle abritera le réchaud et le garde-manger où l'on rangera les provisions, à l'abri des insectes voraces.

Une fois les abris de toile solidement fixés au sol, François descend à la crique pour mouiller le *Saute-Mouton* assez loin des rochers. Claude et Mick vont chercher de l'eau à la source. Annie se charge de préparer le repas de midi. Tandis qu'elle surveille ses casseroles en experte petite cuisinière, les trois autres, pour se délasser, font « le tour du propriétaire », comme dit fièrement Claude.

Rien ne paraît avoir changé depuis l'année précédente. Quelques branches cassées attestent que le vent a soufflé fort durant l'hiver, mais les murs du château n'ont pas perdu une seule pierre.

— Et maintenant, vite, à table ! s'écrie Mick comme les trois cousins reviennent vers le campement. J'ai l'estomac dans les talons !

— Ouah ! fait Dag en remuant la queue d'un air approbateur.

— Moi aussi, j'ai une faim de loup ! avoue François.

Mais Claude s'attarde à contempler l'horizon. Elle adore la mer qui, pour elle, est synonyme d'aventure.

— Cette année, murmure-t-elle pour elle-même, nous aurions une énigme « maritime » à tirer au clair que cela ne m'étonnerait pas.

— Tu prends tes désirs pour des réalités ! dit Mick, railleur. Tu souhaiterais qu'un mystère bien juteux te soit apporté par les flots ! Ah ! C'est beau, l'imagination !

Mais Claude ne songe pas à relever la taquinerie. Le regard perdu dans le vague, elle poursuit :

— Moque-toi de moi si tu veux, Mick, mais j'ai le pressentiment qu'un mystère se trouve là, devant nous, presque à nos pieds.

Puis, changeant de ton, elle soupire :

— Mais tu dois avoir raison, mon vieux ! Je me fais certainement des idées !

Pendant cinq jours entiers, les pseudo-Robinsons campent joyeusement sur l'île de Kernach. Le temps se maintient au beau. Claude, ses cousins et Dagobert mènent la vie la plus agréable du monde. Ils n'ont pas un seul souci !

Dès leur réveil, ils « petit-déjeunent » gaiement, puis vont à la pêche aux coquillages. Ils se baignent, nagent, courent, jouent au ballon dans l'eau. Les repas sont prétexte à d'interminables bavardages. Les enfants, durant l'après-midi, canotent, se prélassent au soleil et se baignent encore. Dans la soirée, on allume un feu de camp. Mick et Claude jouent de l'harmonica. Annie chante de sa voix claire. François a toujours une histoire à raconter. Parfois, il accompagne Annie sur sa guitare.

Pour agrémenter le programme quotidien, il y a d'innombrables parties de cache-cache ou de cartes, des jeux sportifs, des concours d'adresse. Et puis, bien sûr, quand les provisions diminuent, les Cinq embarquent à bord du *Saute-Mouton* et vont se ravitailler aux *Mouettes.* Les jours de marché à Kernach, ils se rendent au village soit par la route avec leurs vélos, soit par mer, à bord du canot.

Tous aiment beaucoup flâner à travers les étals pittoresques des maraîchers et les petites boutiques en plein vent. Le temps s'écoule donc fort agréablement pour les Cinq.

Et puis, le sixième jour...

— Hum ! fait François ce matin-là en sortant de la tente des garçons. Hum ! Avez-vous vu le ciel ? On dirait que le temps se gâte !

Claude, qui revient en courant de se débarbouiller à la source, l'approuve bruyamment.

— Tout à fait de ton avis ! lance-t-elle. Il y a de gros nuages noirs à l'ouest. Et le levant est rouge comme une crevette trop cuite !

— « Soleil rouge le matin, terreur du marin ! » récite Mick.

— Tout juste ! dit Claude. Le vent se lève. Je ne serais pas étonnée si une bonne tempête éclatait d'ici ce soir.

Annie soupire.

— Une tempête n'est jamais bonne ! proteste-t-elle. Nous devons plier bagage et retourner à la villa, Claude ! Tante Cécile et oncle Henri nous ont fait promettre de rentrer s'il faisait mauvais.

Mais Claude n'a aucune envie de quitter son île. Elle hausse les épaules avec désinvolture.

— Bah ! s'écrie-t-elle. Mes parents ont dit ça pour la forme. Pour l'instant, d'ailleurs, il fait encore beau et le soleil brille. Attendons la pluie et le froid pour battre en retraite. Il n'y a pas si loin d'ici à la côte. Pas vrai, Dagobert ? ajoute-t-elle en se tournant vers son chien.

— Ouah ! répond celui-ci en frétillant de la queue.

En réalité, Claude aime mieux être bloquée sur l'île par la tempête que cloîtrée

aux *Mouettes* avec obligation de jouer à des jeux tranquilles afin de ne pas troubler les travaux de son père. M. Dorsel est un savant connu. Claude l'aime et l'admire... mais elle trouve parfois pénible d'être la fille d'un tel homme.

— Claude a raison ! conclut Mick avec insouciance. Profitons de notre bon temps ! Qui veut participer à un concours de nage sous-marine ? ... À celui qui remontera le plus beau coquillage !

Claude applaudit à la proposition. François se laisse tenter. Annie est bien obligée de suivre...

Et c'est ainsi que tout commence...

chapitre 2

Les éléments se déchaînent

Si les enfants avaient décidé de regagner la terre ce jour-là, ils se seraient privés de la merveilleuse aventure qui va leur arriver sur l'aile de la tempête...

Tard dans la matinée, quand les Cinq mettent enfin un terme à leurs exploits nautiques, ils constatent que le soleil achève de disparaître derrière de gros nuages noirs. Presque aussitôt, ces nuages crèvent et une pluie diluvienne s'abat sur l'île et ses occupants.

Claude, François, Mick, Annie et Dagobert rallient à toutes jambes – et à toutes pattes – le campement.

— Vite ! ordonne Claude. Démontons les tentes et emportons tout à l'intérieur du château. Là, au moins, nous serons à l'abri !

— C'est ma faute ! grommelle François en tirant sur un piquet. J'aurais dû insister pour que nous rentrions. Maintenant, il est trop tard.

— Ça, mon vieux, c'est bien vrai ! dit Mick en montrant la côte. Regarde ! On ne voit même plus la terre.

La pluie redouble encore de violence. Le vent gronde, menaçant d'emporter la tente garde-manger. Annie s'empresse de fourrer les provisions dans un sac. Les trois autres s'évertuent à plier les toiles mouillées qui leur battent les jambes...

— Encore heureux que nous soyons en maillot de bain ! soupire François. J'ai l'impression d'être sous la douche. Quel temps de chien ! Pas vrai, Dag ?

Dagobert, qui déteste la pluie, a déjà cherché refuge à l'intérieur du château. Il aboie de tout son cœur pour inviter Claude à se dépêcher. Enfin, les Cinq au complet se retrouvent à l'abri des épaisses murailles.

— Ouf ! exhale Mick. Ce vent est glacé. Je suis frigorifié. Si nous allumions du feu ?

— Riche idée ! approuve Claude. Heureusement que nous avons une provision de bois sec ici !

Les enfants se sèchent avec soin, sortent des lainages de leurs sacs de marins et, réchauffés par le feu et un solide repas, n'ont bientôt rien d'autre à faire qu'à admirer les effets de la tempête.

C'est une des plus fortes qu'ils aient jamais eu l'occasion de voir. Debout sur le seuil d'une porte voûtée dominant le côté le plus abrupt de l'île, ils contemplent avec intérêt les éléments déchaînés. Le tonnerre roule dans un ciel noir. L'océan, lui aussi, est sombre et menaçant. Des vagues géantes se ruent à l'assaut de la falaise, comme pour engloutir l'île, le château et les cinq créatures vivantes figées au-dessus du gouffre écumant.

— C'est... c'est effrayant ! bégaie Annie, pas très rassurée. Cette eau qui bouillonne... ces éclairs...

— Ferme les yeux si tu as peur ! coupe Claude, assez rudement. Tu sais très bien qu'ici tu ne cours aucun danger.

— Pas question de nous aventurer en mer ! ajoute François. Nous risquerions de faire naufrage. J'ai eu du flair de mouiller le

Saute-Mouton loin des rochers. J'espère que la chaîne de l'ancre tiendra bon !

— Oui, assure Claude. Et j'ai pensé à bâcher mon canot ce matin ! Nous le retrouverons certainement intact.

— En attendant, tante Cécile et oncle Henri vont s'inquiéter ! fait timidement remarquer Annie.

— Bah ! dit Claude. Ils penseront bien que nous sommes restés à l'abri. Ne te tracasse donc pas !

Cependant, d'instant en instant, la tempête devient plus terrifiante...

Le soir venu, elle fait encore rage. Même au cœur de la nuit, les enfants peuvent entendre le vent mugir avec violence et l'océan gronder comme un fauve en colère. Allongés sur une toile disposée à même le sol, bien au chaud dans leurs sacs de couchage, ils se félicitent d'être protégés par des murs épais et un toit qui – grâce à la vigilance de M. Dorsel – reste parfaitement étanche.

Tout à coup, un bruit effroyable les fait sursauter. À un nouvel assaut de la mer contre la falaise succède maintenant un fracas tel qu'on dirait le château lui-même en train de s'écrouler. Claude, François, Mick et Annie bondissent sur leurs pieds. Dagobert aboie

pour protester... Au-dehors, le vacarme continue, mais décomposé en une série d'étranges sons en cascade.

— Qu'est-ce qui se passe ? murmure Annie, toute pâle, en se rapprochant de son grand frère, comme pour lui demander protection contre un danger inconnu. On dirait que le château s'effondre.

— Mais non, voyons ! réplique François. Tu vois bien que tout est solide autour de nous.

— C'est dehors ! déclare Claude en se précipitant vers la porte voûtée dominant la falaise.

Mick suit sa cousine. Vaillamment, tous deux sortent sous la pluie et écarquillent les yeux pour tâcher de voir. Ils comprennent très vite qu'un pan de la falaise, minée à sa base, vient de s'écrouler dans la mer. Au même instant, le sol remue sous leurs pas et ils manquent de tomber.

— Un tremblement de terre ! s'écrie Claude. Pour couronner le tout !

Il y a une nouvelle secousse, plus faible que la précédente, puis le sol se stabilise.

— Encore heureux que ton père ait fait étayer les ruines du château ! dit Mick à Claude. Tes pierres sont finalement plus résis-

tantes que les rochers de la falaise. Oh, là, là ! Regarde un peu ces vagues ! Quel spectacle !

Le spectacle, en effet, est à la fois grandiose et terrifiant. Les vagues se succèdent, monstrueuses. Soudain, un raz de marée en miniature donne un coup de bélier à la falaise. L'eau rejaillit à une hauteur incroyable. Et puis, presque aussitôt, tout rentre dans l'ordre. Les flots s'apaisent.

Le vent tombe. C'est la fin de la tempête.

Malgré tout, une fois recouchés, les quatre enfants et même Dago ont bien du mal à trouver le sommeil. Ils s'endorment enfin, presque à l'aube, au moment même où le calme revient pour de bon.

Le matin, quand les Cinq se réveillent, le déchaînement de la veille n'est plus qu'un mauvais souvenir. Avec un cri de ravissement, Annie, qui est sortie la première, annonce à ses cousins :

— Le ciel est tout bleu, tout neuf, débarbouillé de frais ! Et le soleil brille !

— Prenons le *Saute-Mouton,* propose François, et allons rassurer tes parents, Claude ! Ensuite, nous ferons des provisions et...

— Et nous reviendrons ici pour remonter les tentes ! achève Claude. D'accord ! Mais

avant, il faut faire le tour de l'île pour voir si la tempête n'a pas causé trop de dégâts !

Les enfants ne mettent pas longtemps à effectuer leur tournée d'inspection. Ils découvrent deux arbres complètement déracinés et plusieurs autres avec des branches cassées. Mais dans l'ensemble, tout a beaucoup mieux résisté qu'ils ne l'imaginaient. Seule, la falaise paraît avoir particulièrement souffert.

Debout au sommet, Claude allonge le cou pour mieux voir au-dessous d'elle.

— Fais attention ! conseille François. Ne t'avance pas autant ! Le coin est dangereux, surtout après les éboulements de cette nuit...

— C'est que j'aperçois quelque chose... là... en contrebas !

— Où cela ? questionne Mick avec curiosité en tendant le cou à son tour.

Quelques cailloux roulent sous ses pieds. D'une poigne ferme, François retient son frère, puis tire Claude en arrière.

— Ça suffit ! dit-il d'un ton sévère. À force de faire les acrobates, vous finirez par vous retrouver en morceaux sur les récifs.

— Oh ! François ! fait Claude avec animation. C'est que j'ai vraiment vu quelque

chose, tu sais... quelque chose de fantastique.

— Quoi donc ?

— Une forme noire, longue... immobile au fond de l'océan... pas très loin du grand rocher plat... là où il y a une grande profondeur et où l'eau est calme.

— Qu'est-ce que tu racontes ! coupe Mick d'un air incrédule. Puisque l'eau est profonde à cet endroit, il est impossible que tu aies pu voir quelque chose au fond.

— Justement ! poursuit Claude. Cela m'étonne moi-même. Cette forme noire... on dirait un bateau échoué... une épave engloutie.

— Encore ton imagination ! murmure François avec un sourire.

— Non, non ! proteste Claude. Je suis certaine d'avoir bien vu ! Une carcasse de bateau... ou peut-être une baleine morte.

— Une baleine flotterait, fait remarquer François.

— Alors, c'est bien un bateau.

— Mais puisque l'eau est profonde..., insiste Mick.

Claude réfléchit un moment.

— Il est exact, reconnaît-elle enfin, que l'eau était profonde... avant la tempête !

Je connais bien les fonds autour de mon île. Mais le déchaînement des vagues et le tremblement de terre d'hier ont peut-être modifié le relief sous-marin. Un glissement a pu se produire...

Les yeux des garçons et d'Annie se mettent à briller.

— Si ton raisonnement est juste, déclare François, il se peut également que la secousse ait dégagé une carcasse de navire de la vase qui la retenait prisonnière.

— Reste à savoir si tu as bien vu, ma vieille ! affirme Mick.

Claude fronce les sourcils.

— Si vous ne me croyez pas, il n'y a qu'à aller voir. Prenons le canot et ramons jusqu'au rocher plat. Une fois là, nous pourrons regarder tout à notre aise.

chapitre 3

Au fond de la mer, un galion

Déjà, les garçons se précipitent vers le raidillon conduisant à la crique. Claude les rattrape en quelques foulées. Annie s'élance à leur suite, ses boucles blondes flottant au vent. Dagobert, tout heureux de se dégourdir les pattes, saute et aboie autour de sa petite maîtresse. On dirait qu'il comprend qu'une aventure pointe à l'horizon.

Ainsi que Claude et François l'ont espéré, le *Saute-Mouton,* soigneusement ancré au centre de la petite crique protégée, a bien résisté aux vagues et au vent. Claude le rejoint à la nage, se hisse à bord, lève l'ancre et, en quelques coups d'aviron, le conduit jusqu'au rivage.

Ses cousins lui font passer Dagobert, puis montent à leur tour. Quand chacun est installé, Mick empoigne la seconde paire de rames...

Le canot contourne l'île.

Les quatre cousins sentent leur cœur battre plus vite au fur et à mesure qu'ils approchent du rocher plat. Bientôt, ils se trouvent au pied de la haute falaise en partie écroulée. Le rocher plat est plus au large. Le *Saute-Mouton* l'aborde enfin. Cessant de ramer, Claude et Mick se penchent pardessus bord pour scruter les profondeurs de la mer.

Hélas ! Les petites vagues qui clapotent autour du rocher interdisent une bonne vision.

— On voyait mieux de là-haut ! grommelle Claude.

— Je m'en doutais ! dit François. Aussi, j'ai apporté le matelas pneumatique à hublot transparent.

— Chic ! s'écrie Claude. Passe-le-moi vite !

Le matelas est gonflé en un clin d'œil et mis à l'eau. Claude s'allonge dessus à plat

ventre, regarde au-dessous d'elle et pousse un cri enthousiaste :

— Une épave ! C'est bien une épave !

Elle triomphe ! Sous ses yeux s'allonge la coque d'un bateau, preuve manifeste qu'elle n'a pas rêvé !

Dévorés de curiosité, Mick, Annie et François prennent successivement la place de Claude et regardent au-dessous de la surface liquide. Claude ne s'est pas trompée ! Chacun à leur tour, les trois Gauthier distinguent la forme d'un navire couché sur le flanc au fond de l'eau.

— Je crois rêver ! chuchote François. Ce bateau... vous avez vu à quoi il ressemble ?

— À tout et à rien ! répond Claude résolument. Je n'ai jamais rien observé de semblable... sauf au cinéma, et dans un mauvais film, encore !

— On dirait, murmure Mick, un yacht moderne qui se serait déguisé en antique caravelle.

— C'est un peu ça ! approuve Annie qui se rappelle certaines illustrations de son dictionnaire. Ce bateau ressemble à un... comment appelait-on cela ? ... Ah ! oui, à un galion espagnol... un de ces navires que l'on utilisait autrefois pour transporter de l'or.

— Si nous n'avions pas vu tous les quatre la même chose, souffle François, je penserais avoir eu la berlue.

Claude se passe la main dans les cheveux. Elle est emballée par sa découverte. Ses yeux brillent. Elle se dit que son pressentiment de la veille ne l'a pas trompée. Une aventure s'offre au Club des Cinq ! Elle se trouve là, à leurs pieds... sous plusieurs mètres d'eau il est vrai !

— Écoutez ! s'exclame Claude. Savez-vous ce que nous allons faire ?

— Explorer tout de suite cette épave, bien sûr ! réplique Mick.

— Exactement ! Toi et Annie, vous avez des masques à tuba. François et moi, nous possédons chacun un équipement de plongée avec réservoir d'oxygène... C'est le moment ou jamais de nous en servir !

Tout en parlant, Claude a ouvert un compartiment situé à l'avant de son canot. Elle en sort le matériel annoncé et le distribue rapidement à la ronde.

Avec des gestes précis et vifs, elle chausse ses palmes et passe les bretelles qui maintiennent en place sur son dos le réservoir

d'oxygène. Annie veille à bien les assujettir. François, de son côté, se prépare avec l'aide de Mick.

Mick et Annie tendent déjà la main vers leur masque à tuba quand Claude et François les arrêtent d'un même geste.

— Pas si vite ! ordonne Claude. Il ne faut pas descendre tous à la fois. Du reste, l'épave est située à trop de profondeur, il me semble, pour qu'on s'y aventure sans provision d'oxygène.

— C'est bien mon avis ! renchérit François. D'ailleurs, je ne veux pas qu'Annie descende du tout. Elle est trop jeune. Quant à toi, Mick, tu pourras plonger avec mon équipement quand je remonterai.

Si Annie est déçue, elle n'en laisse rien paraître. C'est une enfant raisonnable et douce qui sait obéir. Elle se résigne donc avec un léger soupir.

Impatiente, Claude passe la première. François l'imite presque aussitôt. Il a été convenu que, pour commencer, ils se contenteraient de faire le tour de l'épave et de l'examiner extérieurement.

Là-haut, au-dessus d'eux, Mick, Annie et Dagobert s'efforcent de suivre leurs mouvements. Nageant posément, les deux cou-

sins descendent jusqu'à l'épave. Vue de près, elle semble moins impressionnante... Malgré tout, son aspect insolite laisse Claude et François stupéfaits.

« Aucun doute ! songe Claude. Il s'agit bien d'un yacht très moderne. »

François, de son côté, se fait des réflexions analogues.

« Ce bateau a coulé depuis peu. Évidemment, cuivres et chromes sont ternis et la coque est couverte de coquillages et d'algues... mais l'oxydation n'est pas excessive et la couche des parasites semble relativement peu épaisse. Curieux ! »

Ce qui étonne le plus les deux cousins est le fait que, en dépit de son profil, de ses accessoires modernes et de sa robuste hélice, l'étrange navire rappelle par certains côtés les antiques galions espagnols. Un château arrière ridiculement haut et doté d'ornements tarabiscotés évoque ces navires d'un autre âge. Le liston entourant la coque s'agrémente de torsades et d'arabesques parfaitement déplacées sur un yacht de fabrication récente. Bref, l'allure de l'épave est à la fois extraordinaire et inexplicable.

Claude nage jusqu'à une plaque de cuivre qui disparaît à moitié sous les algues. Elle la

dégage non sans mal. Le nom du mystérieux bateau apparaît.

François qui s'est approché lit avec ahurissement, par-dessus l'épaule de sa cousine, ces mots inattendus :

Le Galion d'or.

Claude se retourne et désigne de la main la surface de l'eau au-dessus d'eux. En quelques battements de palmes, François et elle remontent pour rejoindre Mick, Annie et Dago.

— Alors ? jette Mick, impatient de savoir.

— Alors, mon vieux, répond Claude après avoir retiré son masque, cette épave est une énigme à elle seule. Encore ignorons-nous ce qu'elle contient. Mais extérieurement...

— Eh bien, quoi, extérieurement ?

François se charge d'expliquer ce qu'ils ont vu... *Le Galion d'or* est un navire monstrueux dont les formes bizarres posent un passionnant point d'interrogation.

— Maintenant, décide Claude en remettant son masque, il s'agit d'aller voir ce que ce bateau a dans le ventre. Je redescends ! Tu viens, Mick ?

Mick prend l'équipement de son frère, comme convenu... François, cependant, n'est qu'à moitié rassuré. Il a constaté, au cours de

sa rapide exploration, que l'épave gît sur un haut-fond, mais juste en bordure de ce qui semble être un gouffre assez profond. Qui sait, se dit-il, si elle ne risque pas de glisser dans l'abîme ?

— Cela m'ennuie que vous entriez seuls à l'intérieur de l'épave, déclare-t-il enfin. Pour cette seconde plongée, promettez-moi tous deux d'inspecter seulement le pont. Ensuite... j'irai moi-même.

Claude et Mick acceptent de mauvaise grâce. Claude s'enfonce dans l'eau. Mick la suit. Cette fois, Claude se laisse tomber adroitement sur le pont incliné du navire. Son cousin l'y rejoint. S'agrippant à la lisse, les jeunes explorateurs avancent à pas précautionneux. Sous leurs pieds, les planches se révèlent glissantes et visqueuses. Leur contact est déplaisant et fait faire la grimace aux deux cousins. Devant eux, fuient des bancs de petits poissons.

Bientôt, Claude et Mick parviennent à une écoutille béante au-delà de laquelle s'ouvre un trou d'ombre. Oubliant la promesse faite à François, Claude s'y engage. Mick veut la rappeler à l'ordre mais, bien entendu, il lui est impossible d'interpeller sa cousine. Il se précipite donc pour la rejoindre et lui faire

comprendre, par gestes, qu'elle doit se montrer prudente.

Hélas ! Au moment même où le jeune garçon pose la main sur l'épaule de Claude, l'épave remue sous leurs pieds. Déséquilibrée, elle se met à glisser lentement vers le gouffre...

chapitre 4

Le gardien du galion

Ce brusque mouvement projette Mick et Claude l'un contre l'autre. Ils se retiennent tant bien que mal à la cloison près d'eux... L'eau étouffe l'appel au secours qui leur monte tout naturellement aux lèvres. Cependant, Claude se reprend très vite. Attrapant Mick par le poignet, elle l'entraîne vivement à travers l'ouverture. Une fois sortis, les deux cousins donnent un vigoureux coup de pied pour s'élever au-dessus du pont. Ils ont frôlé de peu la catastrophe. Ils remontent en toute hâte à la surface pour échapper aux remous que risque de provoquer l'engloutissement de l'épave.

— François ! Annie ! s'écrie Claude dès qu'elle s'est hissée sur le rocher plat à côté du *Saute-Mouton.* Oh ! là ! là ! C'est trop de malchance quand même ! *Le Galion d'or* est perdu pour nous ! Nous ne connaîtrons jamais son secret ! Il vient de sombrer dans l'abîme !

Mick, plus calme, regarde au fond de l'eau.

— Comme toujours, déclare-t-il ironiquement, tu te laisses emporter par ton imagination, ma vieille ! L'épave a bougé, c'est vrai ! Mais elle n'a pas sombré du tout ! Elle est toujours là, définitivement fixée, dirait-on.

— Définitivement ? Qu'en sais-tu ? grommelle François. Je n'aurais jamais dû vous laisser descendre. Passe-moi mon attirail de plongée, Mick ! Je retourne voir. Je veux me rendre compte moi-même...

— Je vais avec toi ! lance Claude qui, en voyant l'épave à sa place, a déjà retrouvé son entrain.

— Soyez prudents ! supplie Annie, réellement effrayée.

— Ouah ! Ouah ! fait Dagobert d'un air désapprobateur.

L'intelligent animal déteste voir Claude disparaître dans l'eau. Là où elle va, il ne peut la suivre et, par conséquent, la protéger.

Les deux plongeurs descendent avec précaution. François a insisté pour précéder sa cousine. Bien que Claude soit le chef incontesté du Club des Cinq, elle s'incline devant cette décision. François, en tant qu'aîné de la petite troupe, est chargé par M. Dorsel de veiller à la sécurité des trois autres.

Lorsque le grand garçon aborde l'épave, il constate avec joie et soulagement que, si elle a effectivement glissé, c'est, non pas en direction du gouffre, mais au contraire de l'autre côté. Maintenant, elle repose, bien d'aplomb, sur des rochers qui la maintiennent presque à l'horizontale. Cette position en facilitera l'exploration.

Brandissant son pouce levé, François fait joyeusement signe à sa cousine. Mais Claude n'a pas besoin de ce geste annonciateur de victoire pour comprendre ! Son cœur bat à grands coups. Elle va pouvoir pénétrer dans l'épave en toute sécurité et explorer ses mystérieuses profondeurs.

Tandis que François, rassuré, examine avec intérêt le pont du yacht englouti, Claude se glisse à l'intérieur de l'épave. Tout d'abord, elle ne voit pas grand-chose. Puis, une faible clarté lui permet de distinguer, au bas de l'échelle qu'elle descend, une longue coursive.

La lumière n'étant pas suffisante, Claude allume la torche électrique étanche dont elle a pris la précaution de se munir... Alors, elle va de découverte en découverte !

Le Galion d'or est un yacht superbe et luxueusement aménagé. Claude admire, tour à tour, le salon ultra-moderne, les cabines, la cuisine... Une seule porte refuse de s'ouvrir devant elle. Que peut-il y avoir derrière ?

En vain, pousse-t-elle le battant. Il ne bouge pas d'un centimètre. La porte semble, non pas coincée, mais bel et bien fermée à clé.

« Il faut que je prévienne François », se dit Claude.

Elle s'apprête à remonter sur le pont lorsque, en passant devant le salon, elle aperçoit son cousin en train de jeter un coup d'œil aux disques d'un ancien électrophone. Elle lui fait signe de la suivre...

Parvenus devant la porte fermée, les deux plongeurs s'escriment sur la serrure. Finalement, François prend le couteau accroché à sa ceinture et en introduit la pointe dans l'orifice. Il tourne à droite et à

gauche et, à sa grande surprise, la serrure cède. Il n'espérait pas réussir si vite.

Déjà, Claude le pousse en avant. Les deux cousins se trouvent alors dans une cabine plus spacieuse que les autres : celle du commandant du bord, peut-être ! Trois caisses en bois épais sont empilées dans un coin. François se dirige vers elles. Les caisses sont strictement clouées mais leurs planches, en partie pourries par l'eau de mer. Pour les ouvrir, François ne trouve rien de mieux que de leur décocher quelques coups de talon.

Là encore le résultat dépasse ses espérances. La caisse du dessous cède brusquement. Les deux autres, privées de leur support, s'effondrent à leur tour. Leur contenu s'éparpille sur le sol.

Claude et François ouvrent des yeux ronds. Bouche bée, tous deux considèrent avec stupeur les objets à leurs pieds. Ce sont des lingots d'or, jaunes et luisants, à peine ternis par leur séjour au fond de l'océan. Revenus de leur surprise, Claude et François échangent des regards qui en disent long. D'où vient cet or ? À qui appartient-il ? Pourquoi se trouve-t-il à bord du yacht naufragé ? Autant de questions dont ils ignorent la réponse.

Claude se baisse pour ramasser l'un des lingots. Elle en a déjà vu... sur le grand et le petit écran, dans des films de gangsters. Mais le fait d'en toucher un elle-même lui procure une curieuse sensation.

Elle se tourne vers François, le lingot à la main, et lui indique par gestes qu'il serait bon de remonter : ils doivent discuter de leur trouvaille avec Mick et Annie. François lui répond par un signe de tête approbateur.

Les deux cousins quittent donc la cabine au trésor pour passer dans la coursive. Claude tient toujours dans sa main serrée le lingot d'or. Elle précède François et approche de l'échelle donnant accès au pont quand, tout à coup, une ombre onduleuse se profile devant elle. À la lueur glauque tombant d'en haut, Claude aperçoit un poisson long et assez gros.

« On dirait un congre ou une anguille de forte taille », songe-t-elle avec un léger frisson.

Elle redoute, sur sa peau nue, le contact visqueux du poisson aux allures de serpent. Aussi résout-elle d'effrayer la bête... Pressant le bouton de sa lampe électrique étanche, elle braque le faisceau lumineux sur l'animal.

Mais celui-ci, bien loin d'être effrayé, paraît au contraire fortement irrité par cette agression lumineuse.

Il fonce sur Claude ! Alors, avec horreur, celle-ci s'aperçoit qu'elle n'a pas affaire à un congre mais... à un requin !

Le squale n'est qu'un chien de mer, une banale roussette, mais un requin tout de même... et un requin furieux encore !

À demi aveuglé par la lampe, l'animal se rue sur la source lumineuse, comme pour l'anéantir. Il manque de renverser Claude qui, pourtant, s'est reculée.

François, lui aussi, a identifié le squale et compris le danger. En général, ces poissons sont assez peureux et fuient volontiers devant les plongeurs. Mais celui-ci n'est pas un individu timide. La preuve ! ... Après une brutale volte-face, il revient vers Claude, sa petite gueule hérissée de dents pointues déjà ouverte et prête à mordre.

Claude a le bon sens de lâcher sa lampe qui s'éteint. Mais elle n'y voit plus et se demande d'où va venir le coup. Dans la même seconde, François lui agrippe la cheville et, la tirant en arrière, la fait basculer. Il était temps ! La roussette, emportée par son élan, passe au-dessus d'eux. Mais elle va revenir...

Avec un bel ensemble, les deux plongeurs s'élancent vers l'échelle donnant sur le pont. Ils ne l'ont pas atteinte que, des profondeurs de la coursive, le squale se précipite de nouveau sur eux. L'instant est critique.

Cette fois, Claude décide d'effrayer le requin pour de bon. Elle se met à battre l'eau avec ses bras et ses palmes.

Devinant l'intention de sa cousine, François s'empresse de l'imiter. Ce bruit inattendu et l'agitation anormale de l'eau surprennent la roussette. Elle dévie et, après un temps d'hésitation qui paraît interminable aux enfants, file comme un dard par-dessus leur tête et disparaît... Claude et François ne peuvent quitter l'épave qu'en suivant le même chemin que le squale.

« Pourvu qu'il ne soit pas là-haut, à nous guetter ! » pense François.

Mais Claude, plus au courant des choses de la mer, sait qu'un poisson effrayé se hâte de fuir le danger et revient rarement en arrière. C'est donc sans aucune crainte qu'elle donne le coup de talon qui la ramène sur le pont.

Deux minutes plus tard, François et elle sont de retour, bien en sécurité, auprès de Mick et d'Annie.

En voyant reparaître sa petite maîtresse, Dago bondit de joie, au risque de passer par-dessus bord. Claude se débarrasse de son masque. Dag la débarbouille d'un affectueux coup de langue.

— Comme tu es pâle, Claude ! s'écrie Annie avec sollicitude. Tu n'as pas eu froid ?

— C'est la fatigue, explique Claude. Trois plongées coup sur coup...

— ... Et des émotions fortes ! complète François. Nous avons découvert un trésor et failli être dévorés par un requin !

Mick se met à rire. Il croit que son frère plaisante et veut faire de même.

— Pendant ce temps, dit-il, Annie et moi, nous avons découvert un requin et dévoré un trésor !

— Ne fais donc pas l'idiot ! soupire Claude avec lassitude. Ce que dit François est vrai. Je vous rapportais même un lingot d'or quand une maudite roussette m'a attaquée. J'ai dû lâcher l'or pour me défendre ! Et, dans la bagarre, j'ai perdu ma lampe électrique par-dessus le marché !

Elle sourit à François.

— Merci, mon vieux ! Sans toi, la roussette endommageait mon anatomie !

Mick cesse de rire. Annie laisse échapper une exclamation de surprise apeurée. Dag, comme s'il comprenait, saute sur le rocher plat et s'y campe, les pattes écartées, la tête penchée de côté. On dirait qu'il s'apprête à écouter quelque surprenant récit... Quand Claude a achevé de conter son aventure, Annie est la première à déclarer :

— Il faut vite rentrer aux *Mouettes* pour mettre oncle Henri au courant. Il saura sûrement ce qu'il convient de faire !

— Oui, acquiesce François. Il préviendra les autorités afin que l'on recherche à qui appartient cet or.

chapitre 5

De singulières révélations

Claude est de nouveau prête à l'action. Quoique vexée d'avoir dû abandonner le lingot qu'elle rapportait, elle espère que l'aventure n'est pas terminée pour elle et ses cousins.

« Sans cette maudite roussette, pense-t-elle en ramant vers la côte, j'aurais remonté une preuve ! »

Une fois à terre, les quatre cousins remisent le *Saute-Mouton* et gagnent la villa des Dorsel au pas de course. La mère de Claude les accueille avec un soupir de soulagement.

— Je suis contente que vous rentriez, mes enfants ! Cette affreuse tempête m'a inquiétée pour vous ! Allez vite à la cuisine. Maria vous préparera un bon chocolat crémeux. Et il y a un gâteau tout juste sorti du four...

Claude, en dépit de sa gourmandise, décide de faire passer les affaires importantes en premier.

— Maman ! s'écrie-t-elle. Où est papa ? Nous devons lui parler tout de suite. Et à toi aussi !

— Ton père est occupé, Claude. Il s'est enfermé dans son bureau et ne veut pas être dérangé de la journée. Quant à moi, j'ai une course urgente à faire à Kernach. Votre histoire peut certainement attendre. À ce soir !

Déçus, Claude, François, Mick et Annie voient disparaître Mme Dorsel. Ils doivent refréner leur impatience. Seul le gâteau de Maria, la fidèle cuisinière, les console un peu.

Absorbé par ses travaux, M. Dorsel, ce soir-là, ne paraît que tardivement à la table familiale. Les enfants le mettent immédiatement au courant de leur extraordinaire aventure. Le savant sursaute.

— Mais c'est passionnant, ce que vous me racontez là ! s'exclame-t-il. *Le Galion d'or*, dites-vous ? Ce nom me rappelle quelque

chose... Oui, oui, c'est bien cela... Ce yacht a défrayé la chronique voici environ deux ans !

— Je m'en souviens ! intervient à son tour Mme Dorsel. C'était un bateau extravagant, fait sur commande pour un Américain plus extravagant encore ! L'homme en question, un certain Wilson, désirait un navire doté de tous les perfectionnements modernes, mais ayant plus ou moins l'apparence d'un vieux galion espagnol.

La jeune femme se met à rire et ajoute :

— Je me rappelle même avoir vu le monstre à la télévision, dans une émission d'actualités. Il était parfaitement ridicule !

— Est-ce que ce Wilson faisait le commerce de l'or, tante Cécile ? demande candidement Annie.

La maman de Claude rit plus fort.

— Non, répond-elle. La circulation de l'or est soumise au contrôle de l'État. Et l'Américain, du reste milliardaire, n'avait rien d'un trafiquant !

— Mais alors, d'où viennent ces lingots ? questionne François.

— Attends un peu, mon garçon ! réplique son oncle en rassemblant ses souvenirs. Si j'ai bonne mémoire, le yacht a été volé alors qu'il était ancré du côté de Kernach. Wilson, qui passait ses vacances en France, comme chaque année, se trouvait à terre avec ses invités.

Mick ouvre de grands yeux.

— Qui donc a pu avoir l'idée de voler un yacht pareil ? s'écrie-t-il. Il ne pouvait guère passer inaperçu !

— Exact ! Mais c'était un bateau très rapide. Et les bandits qui s'en sont emparés avaient intérêt à s'éloigner le plus vite possible des côtes de France !

— Pourquoi ? interroge Claude.

— Parce qu'ils venaient de dévaliser une banque ! explique M. Dorsel. Ils ont transporté les lingots à bord et filé avec *Le Galion d'or* qui, ce jour-là, portait bien son nom.

— Je devine la suite ! enchaîne Claude. Le bateau a coulé, peut-être à la suite d'une fausse manœuvre des gangsters... Et il a péri corps et biens.

— C'est presque vrai, en effet, admet son père. À cela près que c'est une tempête comme celle d'hier qui a causé la perte du yacht... et que les bandits ont échappé au naufrage en sautant dans une embarcation de secours. On les a repêchés en mer, puis emprisonnés. Ils étaient trois dont je me

rappelle encore les noms. Ils ont toujours nié avoir volé les lingots, et reconnu seulement le vol du yacht. Encore ont-ils affirmé que c'était là un simple emprunt « pour s'amuser ». On n'a pu retenir que ce chef d'accusation contre eux et, au bout de leur peine, ils seront relâchés !

— Ils viennent de l'être ! coupe Mme Dorsel. J'ai lu cela dans les journaux !

— Je ne comprends pas, réagit Claude, qu'on n'ait pas cherché à récupérer l'épave au trésor !

— On l'a bien tenté, affirme M. Dorsel, mais les bandits avaient indiqué l'endroit du naufrage d'une manière plus que vague. La preuve ! Vous avez retrouvé *Le Galion d'or* tout près de la côte alors qu'on le croyait fort loin de là !

Claude bondit sur ses pieds.

— Si les bandits n'ont pas révélé le lieu du naufrage, c'est exprès ! tranche-t-elle. D'abord parce que la découverte de l'or les aurait trahis, et ensuite parce qu'ils espéraient aller récupérer eux-mêmes le trésor à leur sortie de prison !

— C'est aussi mon avis, opine M. Dorsel. Voilà pourquoi il importe d'avertir au plus tôt les autorités. Je vais commencer par télé-

phoner à la gendarmerie. Là-bas, ils feront le nécessaire...

L'heure est tardive. Cependant, la voix ensommeillée qui répond au père de Claude devient brusquement très claire à l'annonce de la fabuleuse nouvelle. M. Dorsel, après un bref dialogue, raccroche en souriant.

— J'ai donné le signal du branle-bas de combat ! déclare-t-il. Mais je doute que l'on puisse rien entreprendre avant demain. Allons ! mes enfants, il est temps d'aller vous coucher. Dormez bien ! Et félicitations pour votre prodigieuse découverte !

Claude dort mal, cette nuit-là. Elle rêve de trésors, de bandits... et de requins. L'aube la trouve déjà levée et harcelant ses cousins.

— Debout ! Dépêchez-vous de vous préparer ! On aura certainement besoin de nous pour situer l'épave !

Ce n'est pourtant que vers trois heures de l'après-midi que les gendarmes arrivent, accompagnés d'un inspecteur de police et de deux hommes-grenouilles. On prend rapidement la déposition de François et de Claude, puis les enfants sont invités à accompagner la petite troupe sur les lieux du naufrage... François et Mick poussent à l'eau le *Saute-Mouton* qui est pris en remorque par la

vedette des garde-côtes, réquisitionnée pour la circonstance. Les Cinq exultent.

Claude voudrait bien participer à la plongée... Effrayés par le bruit du moteur et l'agitation ambiante, la roussette et ses congénères ont dû filer et ne sont plus à redouter. Mais Baillard, le capitaine de gendarmerie, ne veut rien entendre. François conduit le *Saute-Mouton* jusqu'au rocher plat. Une fois là, les Cinq doivent se contenter du rôle de spectateurs, ce qui ne leur plaît certes pas !

Ils voient les deux hommes-grenouilles quitter la vedette et disparaître sous l'eau. Au bout d'un moment qui semble durer des siècles à Claude, les deux hommes reparaissent.

— Ils viennent chercher les caisses de fer prévues pour le transport des lingots, croit bon d'expliquer Mick.

Mais il se trompe. Le capitaine de gendarmerie se tourne vers les Cinq et les hèle d'un bord à l'autre :

— Dites donc, les enfants ! Vous avez rêvé ! Pas le moindre lingot d'or là-dessous ! Si vous nous avez raconté des histoires, gare à vous !

Les quatre cousins restent un moment interloqués.

— Vous n'avez pas vu *Le Galion d'or* ? demande enfin Claude en retrouvant sa voix.

— L'épave est bien là où vous l'avez signalée, mais si les plongeurs ont aperçu des planches flottantes provenant peut-être de caisses éventrées, ils n'ont pas trouvé le moindre trésor !

Cette fois, les enfants échangent des regards consternés. Puis tout le monde se rend sur l'île de Kernach afin de mettre les choses au point. François et Claude affirment sous la foi du serment que leur déposition concernant le trésor est exacte. De leur côté, les hommes-grenouilles certifient n'avoir rien trouvé, pas même le lingot tombé des mains de Claude dans la coursive. Une conclusion s'impose : les bandits, libérés, ont battu les policiers de vitesse et récupéré leur butin !

Un instant plus tard, la vedette des policiers quitte l'île, laissant Claude et ses cousins déçus et perplexes.

— Ils vont ouvrir une enquête ! soupire François. Mais aboutira-t-elle ? Les voleurs doivent être loin à cette heure...

— Ce n'est pas certain, admet Claude. Les lingots étaient encore dans l'épave hier.

Ils n'ont pu être enlevés que récemment. C'est un chargement bien lourd à transporter.

— Peu importe qu'il soit lourd, dit Mick en haussant les épaules, si les bandits sont motorisés.

— L'inspecteur a demandé par radio qu'on dresse des barrages sur les routes ! fait remarquer Annie de sa voix douce.

— La précaution vient peut-être trop tard ! objecte François. Mais ne pensons plus à tout ça ! Le soleil brille. Pour l'instant, ne songeons qu'à jouer de nouveau aux Robinsons.

Après le repas de midi, Mick fait fonctionner son petit poste de radio pour écouter les informations. Le journaliste parle justement de l'affaire des lingots d'or.

— Aucune voiture suspecte, dit-il, n'a franchi les barrages de police. Il est évidemment possible que les bandits aient pris le large avant l'établissement des contrôles routiers. C'est cependant peu probable, car une enquête rapide mais serrée a permis d'établir qu'aucun véhicule étranger à la localité n'a circulé hier, cette nuit ou aujourd'hui dans la zone suspecte.

Claude bondit de joie.

— Vous voyez ! J'avais deviné juste ! Les bandits ont récupéré les lingots sans les emporter. Ils n'étaient pas pressés. Ils ne pouvaient pas soupçonner que nous avions découvert leur butin et alerté la police. Ils peuvent se trouver près d'ici avec l'or... et bien ennuyés de n'avoir pas filé plus tôt !

— Tu crois vraiment que les bandits sont près d'ici ? demande François.

Claude, le dos contre un rocher, les bras croisés sur la poitrine, fait face à ses cousins.

— J'en suis sûre ! répond-elle. Biscou, Faral et Saint-Prat se terrent sans doute dans la région. Ils doivent attendre que la police relâche sa surveillance pour partir avec le trésor. Mais nous ne les laisserons pas fuir ! Désormais, le Club des Cinq a une tâche à accomplir : dénicher les bandits et les faire arrêter !

François, Mick et Annie applaudissent à ce projet. Dag, lui aussi, semble être d'accord...

chapitre 6

De l'action à l'horizon

Hélas ! Les jours passent sans faire avancer d'un pas l'enquête de la police ni celle des jeunes détectives ! En vain, ceux-ci consacrent-ils le plus clair de leur temps à parcourir la région sur leurs vélos, le nez au vent et l'œil aux aguets ! Ils ne découvrent pas l'ombre d'une piste ! En fin d'après-midi, déçus par leurs courses vaines, ils s'arrêtent un moment aux *Mouettes,* puis retournent camper sur l'île.

Ce soir-là, après avoir dîné, les Cinq s'attardent autour du feu de camp, dans la nuit tiède. Annie considère la voûte céleste et soupire :

— Les étoiles ont l'air de diamants scintillants sur un fond de velours noir. Ça paraît bête de dire ça... Et pourtant, c'est la vérité.

— Ouah ! fait Dagobert, qui suit avec intérêt les évolutions d'un hérisson vaquant à ses affaires nocturnes.

Mick joue de l'harmonica. François gratte sa guitare. Seule Claude n'est pas en accord avec la paix du soir. Intérieurement, elle bout de colère.

— C'est la première fois que nous menons aussi longtemps une enquête sans obtenir le moindre résultat, déclare-t-elle soudain. Mais je ne m'avoue pas vaincue ! Demain, nous recommencerons à passer le pays au crible, en redoublant d'attention. Nous interrogerons les gens. Peut-être quelqu'un aura-t-il remarqué des étrangers pendant la période qui nous intéresse... Nous fouillerons aussi les moindres endroits susceptibles d'abriter le trésor. Peut-être les bandits ont-ils simplement caché les lingots avec l'intention de venir les reprendre plus tard !

Les quatre cousins discutent encore un long moment de l'affaire qui les occupe, puis garçons et filles regagnent leurs tentes. Dago, comme chaque soir, s'allonge auprès

de sa petite maîtresse. Le camp des Robinsons s'endort...

Il doit être plus de minuit quand, soudain, un grognement contenu de Dagobert tire Claude de son sommeil. Immédiatement lucide, elle pose la main sur la tête du chien pour le faire taire.

— Chut ! ordonne-t-elle, en prêtant l'oreille...

Un bruit de voix masculines lui parvient.

« François et Mick », pense-t-elle aussitôt.

Mais ce n'est pas la voix de ses cousins... Elle se lève alors avec précaution et, suivie de Dag, sort sans bruit de sa tente.

Dehors, elle s'arrête, médusée. Deux hommes achèvent de grimper le raidillon, guidés par le seul clair de lune. Des cailloux roulent sous leurs pieds. Ils paraissent aussi à l'aise que s'ils se trouvaient chez eux. Claude, toujours impulsive, n'hésite pas une seconde. Elle crie d'une voix claire :

— Halte ! Messieurs ! Vous n'êtes pas autorisés à débarquer ici. Cette île est une propriété privée !

Dans son pyjama, elle a si bien l'air d'un garçon que les nouveaux arrivants s'y trompent.

— Flûte ! réagit l'un d'eux. Tu entends ce que dit le gamin, Hector ? L'île est habitée ! Si je m'y attendais... !

— C'est la tuile ! grommelle entre haut et bas son compagnon.

Éveillés par le bruit, Mick et François, puis Annie, surgissent à leur tour. Celui des hommes qui a parlé le premier pointe son doigt vers les tentes.

— Rien que des mômes qui campent ! Ce n'est pas grave !

Comme les deux inconnus continuent à avancer sans tenir compte des observations de Claude, celle-ci, offusquée par l'attitude insolente des nouveaux venus, proteste :

— Je vous ordonne de partir immédiatement ! Sinon je lâcherai mon chien sur vous !

Les deux individus, qui ont des mines peu rassurantes, échangent un regard puis s'esclaffent.

— C'est à se tordre de rire, lance le premier. Ce jeune coq veut faire la loi. Nous allons lui rabattre son caquet !

Mais déjà François s'interpose.

— Ma cousine est ici chez elle, dit-il en désignant Claude. Vous devriez...

Ce qui arrive se déroule avec une telle rapidité que, par la suite, les enfants s'en souviennent comme d'un cauchemar.

L'homme appelé Hector interrompt François en l'écartant d'un revers de main et agrippe Claude par le poignet.

— Ah ! Tu es une fille ! Écoute-moi, mauviette ! C'est moi qui commande, tu entends. Tu vas te tenir tranquille, ou bien...

Claude n'a pas besoin d'appeler Dago à la rescousse. D'un bond, l'animal est sur le bandit et lui plante ses crocs dans le gras du bras. Hector hurle, oblige le chien à lâcher prise puis, le saisissant par son collier..., l'accroche au moignon d'une branche d'arbre. Ainsi suspendu, à demi étranglé, le pauvre Dagobert ne peut même plus aboyer.

— Brute ! s'exclame Claude en s'élançant.

Mais l'autre homme la cueille au vol et, à l'aide d'un cordonnet tiré de sa poche, la ficelle vivement et l'attache à son tour à l'arbre juste au-dessous de Dag. Hector, au même instant, barre la route à François, Mick et Annie qui se ruent au secours de leur cousine... Il empoigne François et le ligote en un clin d'œil. Son complice fait subir le même sort à Mick, sans souci des coups de poing qu'Annie sanglotante mais déchaînée fait pleuvoir sur son dos.

En vain, Claude fulmine-t-elle. En vain, les garçons se débattent-ils. Les hommes sont plus forts qu'eux. Pour finir, ils entortillent Annie dans une toile de tente, comme une momie, et la déposent à côté de ses frères.

— Allez, Eugène ! Viens ! dit alors Hector à son acolyte. La place est libre. Il ne faut pas faire attendre Albert qui garde le bateau... Déménageons les lingots et filons !

Claude sursaute dans ses liens... Les lingots ! Ainsi, ces hommes sont deux des pilleurs de banque : des voleurs d'or.

« Et les lingots se trouvent cachés sur mon île ! pense-t-elle encore. Ça, alors, c'est un comble ! »

Elle voit Hector et Eugène s'éloigner et pénétrer dans le château : sans doute l'or est-il dissimulé dans une des plus profondes caves. Dire que les enfants ont cherché partout sauf là ! Claude et ses cousins ne sont pas bâillonnés. Mais à quoi leur servirait-il de crier ? Cela ne ferait qu'exciter les bandits contre eux ! ... Claude reporte son attention sur Dago. Pendu à sa branche, le pauvre se débat de plus en plus faiblement.

« Il va mourir étranglé ! songe Claude. C'est affreux ! Ah ! Si seulement je parvenais à dégager l'une de mes mains ! ... »

Avec rage, elle se met à frotter, sur l'écorce rugueuse de l'arbre, la cordelette lui liant les poignets. Elle s'écorche la peau mais s'obstine. Chaque minute compte !

chapitre 7

Renversements de situation

Les garçons se tiennent cois. Annie pleure sans bruit. On n'entend rien sinon les râles de Dagobert, le murmure de la mer et des crissements d'insectes... Soudain, Claude manque de crier de joie. Elle est parvenue à user la cordelette et à libérer sa main gauche. Alors, elle tend le bras et, se dressant sur la pointe des pieds, s'étire le plus possible dans ses liens. Ainsi, elle peut atteindre Dagobert. De la main, elle lui donne une forte poussée de bas en haut. Cela suffit à décrocher la pauvre bête qui tombe sur l'herbe et reste là, pantelante, cherchant péniblement à retrouver son souffle...

Soudain, des pas pesants ébranlent le sol. Les bandits reviennent.

— Chut, Dag ! Ne bouge pas ! ordonne Claude en voyant le chien s'efforcer vaillamment de se dresser sur ses pattes.

Elle tremble de peur en pensant que les deux hommes peuvent achever leur victime.

Mais Hector et Eugène ne se soucient guère des enfants et de Dag !... Ils passent devant eux, transportant une lourde caisse de fer, puis s'engagent sur le sentier de la plage.

Mick chuchote dans l'ombre :

— Ils vont revenir. Il doit y avoir au moins trois caisses pleines d'or.

Il ne se trompe pas. Les bandits reparaissent. Mais, cette fois, Albert remplace Hector. Comme Eugène l'appelle « Saint-Prat » en parlant, les jeunes détectives comprennent qu'ils ont deviné juste : il s'agit bien de Biscou et Cie, venus récupérer leur butin...

Enfin, le dernier chargement est transporté à bord du bateau invisible qui attend les bandits dans la crique. Bientôt, les enfants entendent un faible bruit de rames : les bandits, désireux de se déplacer silencieusement, ne sont pas motorisés.

Déjà, de sa main libre, Claude achève de se dégager de ses liens. Puis, prenant un couteau, elle délivre ses cousins.

— Vite ! souffle-t-elle. Suivons-les ! Dépêchons-nous !

— En pyjama ? proteste Annie qui a le sens des convenances.

— Bah ! fait Mick. Nos pyjamas ressemblent à des survêtements. Et ils sont très chauds. Enfilons seulement des sandales !

Deux minutes plus tard, Mick et François lèvent l'ancre tandis que Claude achève de fixer autour du cou de Dag une compresse humide.

— Sois tranquille, mon chien ! Je te vengerai ! murmure-t-elle.

Annie, dont la vue est perçante, indique du geste l'embarcation des bandits, assez loin devant eux, et qui se dirige droit vers la côte.

— Souquez dur ! jette Claude aux garçons.

Installée à la barre, Dago serré contre elle, elle maintient le cap sur la côte, sans perdre un seul instant de vue les bandits et sans cesser de harceler ses cousins tout bas :

— Plus vite !... Et en silence ! Il ne faut pas que ces misérables devinent que nous les poursuivons !

Quand les bandits ont accosté, il leur faut un moment pour décharger les précieuses caisses. Cela donne aux Cinq le temps d'aborder un peu plus loin.

— Qu'allons-nous faire ? demande François, indécis. Pas question d'attaquer ces brutes de front ! Alors ?...

— Alors, décide Claude, rapprochons-nous d'eux. Ils ont certainement un véhicule près d'ici. Si nous pouvions seulement en relever le numéro !

Usant de ruses de Sioux, les Cinq se glissent le long du chemin parallèle à la plage. Dag oublie sa gorge douloureuse pour suivre Claude en silence. Au bout de cent mètres, la petite troupe fait halte. Sur la route, tous feux éteints, se trouve une estafette. Les voleurs sont en train de hisser à l'intérieur les caisses pleines d'or.

— Flûte ! souffle Mick. Nous arrivons trop tard. Je me proposais de dégonfler leurs pneus et...

— Ne perdons pas de temps en discours ! coupe Claude. Courons alerter les gendarmes !

Déjà les bandits referment la porte de l'estafette, puis s'entassent sur le siège avant. La voiture démarre pour s'éloigner dans

la direction opposée à Kernach, vers le nord.

Les enfants prennent leurs jambes à leur cou. Ils savent que l'*Auberge de l'Épine* se dresse au prochain tournant. Quand ils y arrivent, essoufflés, le patron, mal réveillé, a du mal à comprendre ce qu'ils veulent...

— Un tété... un télépho... pho... un téléphone ! réclame François, haletant.

Enfin, les enfants ont la gendarmerie au bout du fil. Alors, de nouveau, le capitaine Baillard ordonne le branle-bas de combat. Il est dit que, pour les Cinq, le reste de la nuit sera aussi agité que le début... Pour commencer, Annie propose à ses frères et à sa cousine de retourner au *Saute-Mouton.*

— J'ai pensé à emporter nos vêtements, dit-elle. Nous serons plus à l'aise une fois habillés. Ensuite, nous pourrons aller aux nouvelles, à la gendarmerie !

— Eh bien ! fait Claude, admirative. On peut dire que tu es prévoyante ! Bravo, Annie ! Tu nous fais gagner beaucoup de temps.

Annie rougit, toute fière du compliment. Ce n'est pas souvent que l'impétueuse Claude distribue des éloges.

Le jour pâlit le ciel quand les Cinq arrivent à la gendarmerie. Claude et ses cousins demandent au gendarme de garde la permission d'attendre des nouvelles sur place. Dag va mieux et semble prêt à reprendre la lutte.

Soudain, le téléphone sonne. C'est le capitaine Baillard. Il annonce que les bandits viennent d'être arrêtés à un barrage routier et qu'il les ramène lui-même. Ravi d'apprendre que Claude et ses cousins sont là, il ajoute que cela permettra une confrontation immédiate entre les enfants et ceux qu'ils accusent d'avoir pris les lingots.

— Je ne comprends pas ! lance Claude, étonnée, lorsque le gendarme a répété les paroles de Baillard. Pourquoi le capitaine a-t-il besoin de nous confronter avec les bandits ? L'or qu'ils transportent dans leur voiture suffit à prouver leur culpabilité.

— Justement ! répond le gendarme. On n'a pas trouvé d'or du tout !

Cette déclaration inattendue fait, aux enfants, l'effet d'un coup de tonnerre. Hélas ! le capitaine Baillard confirme lui-même l'ahurissante nouvelle quand il arrive, un instant plus tard, remorquant à sa suite Biscou, Faral et Saint-Prat goguenards.

— Je veux bien croire ce que vous nous avez raconté au téléphone, jeunes gens, mais les faits sont là ! Ces gaillards sont bien ceux que nous soupçonnons d'avoir pillé la banque, pourtant, cette fois encore, les preuves manquent. Nous n'avons pas trouvé un seul lingot à bord de leur véhicule.

— Et vous n'avez pas le droit de nous retenir sans motif ! s'écrie Hector Biscou. Nous avons purgé notre peine... pour « emprunt » du *Galion d'or.* Cette nuit, nous faisions juste une petite promenade hygiénique le long de la côte... Après avoir séjourné en prison, il est normal que nous nous aérions un peu, pas vrai ?

Claude est consternée, ses cousins furieux et Annie presque gênée. Le capitaine et les gendarmes arborent une mine sombre. Les bandits jubilent. On est bien obligé de les relâcher. Ils s'en vont, triomphants... tandis que les Cinq regagnent piteusement leur île.

Comme, du point de vue de la loi, la parole des voleurs vaut la leur, la police ne peut intervenir. Mais Claude ne s'avoue pas vaincue.

À l'heure du petit déjeuner, alors que le soleil inonde le campement des enfants de ses chauds rayons, elle déclare à ses cousins :

— Nous savons que nous n'avons pas rêvé. L'or ne peut pas être loin. Une fois de plus, les bandits ont dû le cacher, mais à terre ce coup-ci ! Dès aujourd'hui, nous allons enquêter dans la région que nous passerons au peigne fin ? Et nous triompherons ! Je me suis juré de venger Dago !

Les Cinq reprennent donc leur enquête avec ardeur. François a quadrillé, sur une carte, toute la portion comprise entre la côte et l'endroit où a été arrêtée l'estafette des bandits. Et cela sur une certaine longueur.

— C'est dans ce secteur qu'il faut chercher ! explique-t-il.

— Trois caisses ne sont pas des objets faciles à camoufler, fait remarquer Mick. La cachette doit donc être de taille.

Chaque matin, les Cinq se rendent à terre et, à vélo, suivent sentier après sentier, scrutant le paysage, à l'affût de tout endroit susceptible de servir de cachette aux lingots disparus.

— Il faut faire vite, ne cesse de répéter Claude. Biscou et ses complices peuvent revenir d'un jour à l'autre. Et puis j'ai dans l'idée que les gendarmes nous soupçonnent

plus ou moins de leur avoir raconté des histoires. J'ai hâte de leur prouver que nous n'avons pas menti !

Claude compte beaucoup sur Dago pour retrouver la trace des bandits. Mais c'est en vain que le chien, jusqu'ici, a flairé le sol partout où les enfants se sont arrêtés : ruines pittoresques, granges abandonnées, cabanes de berger, grottes dans la partie rocheuse de la côte. C'est à désespérer.

chapitre 8

Une découverte ahurissante

Un jour, alors que les Cinq ont interrompu leurs recherches pour pique-niquer à l'orée d'un petit bois, Annie s'écrie soudain :

— Tiens ! Voilà Pierrou ! Invitons-le à partager notre repas ! Le pauvre n'a pas si souvent l'occasion de se régaler !

Pierrou est un grand garçon sans âge, qui habite seul dans une cabane, au milieu du bois. Il souffre d'un retard mental et vit des menus travaux qu'on lui confie, ici et là.

Pierrou est honnête, complaisant, et très habile de ses doigts. Au village, tout le monde l'aime.

Depuis longtemps, Annie s'en est fait un ami. Chaque fois qu'elle le rencontre, elle lui offre des bonbons ou un gâteau, car elle le sait gourmand.

— Bonjour, Pierrou ! dit-elle gentiment. Viens donc déjeuner avec nous !

Pierrou s'avance, sourit à la ronde et s'accroupit devant la nappe plastifiée étalée sur l'herbe et couverte de bonnes choses : saucisson sec, carottes râpées, poulet froid, fruits et gâteaux... Les Cinq, en passant aux *Mouettes*, se sont largement ravitaillés.

Annie sert Pierrou avec des gestes de petite maman.

— C'est bon... Bon ! déclare Pierrou en riant et en se frottant l'estomac.

François et Mick sourient, eux aussi, en le voyant dévorer avec appétit. Claude elle-même finit par se détendre et par oublier un instant ses recherches vaines. Dag, remuant la queue, tourne autour du jeune homme qui lui gratte la tête. Tous deux s'entendent bien.

— Alors, Pierrou, que fais-tu en ce moment ? demande Mick.

— Je bri... bricole ! répond le garçon, qui bégaie. Et... et puis, on m'a do... donné beaucoup d'argent !

— C'est merveilleux ! le félicite Annie en riant. Te voilà donc riche, Pierrou !

Les yeux du garçon se mettent à briller.

— Ou... oui...

Il baisse la voix et, sur un ton de confidence, ajoute :

— J'ai... j'ai un tré... trésor caché dans ma cabane.

François, Mick et Annie se mettent à rire, feignant de le croire. Seule Claude, conservant son sérieux, regarde Pierrou avec attention... Et s'il disait la vérité ?

Les enfants ont fini de déjeuner. Tandis qu'Annie rassemble la vaisselle du pique-nique et que François secoue la nappe sur l'herbe, Claude se lève brusquement.

— Pierrou ! lance-t-elle. Tu as parlé de trésor tout à l'heure. Veux-tu nous montrer le tien... celui qui est dans ta cabane ?

Une lueur soupçonneuse et rusée passe dans les yeux du jeune homme. Claude s'en aperçoit et se fait rassurante.

— Tu nous connais, Pierrou ! Tu sais bien que nous sommes tes amis et que nous ne te volerons pas ! Mais je suis curieuse... et j'aimerais bien voir...

Annie, comprenant l'intention de sa cousine, renchérit :

— Moi aussi, Pierrou, j'aimerais bien voir ton trésor. Montre-le-nous, veux-tu ?

Elle prend le grand garçon par la main et le tire en direction du petit bois. Pierrou rit et la suit. Claude, François, Mick et Dagobert leur emboîtent le pas.

La cabane de Pierrou se dresse au centre d'une petite clairière, bien protégée par les arbres. C'est une ancienne hutte de bûcheron, construite en solides rondins. Pierrou en pousse la porte et, tout fier, fait les honneurs de son logis. Claude sent son pouls s'accélérer... Son intuition lui souffle qu'elle est sur la piste des lingots cachés. Or, il est rare que son intuition la trompe !

Et voilà que Pierrou, bombant le torse, annonce avec emphase :

— Je... je vais vous fai... faire voir... mon trésor !

Il va droit à un coin de la cabane, là où se trouvent entassés de petits fagots de bois sec. Écartant ceux-ci, il fait apparaître une vieille jarre ébréchée. La saisissant à pleins bras, il la dépose triomphalement devant ses visiteurs. Puis il plonge la main à l'intérieur...

L'instant est solennel. Claude et ses cousins retiennent leur respiration. La jarre est

trop petite pour contenir les lingots mais, n'en eût-elle recelé qu'un seul, cela constituerait un début de piste.

— Voi... voilà !

Et Pierrou, tout fier, jette pêle-mêle sur le sol une poignée de porte en cuivre, un vieux briquet, deux boutons dorés provenant d'un uniforme militaire, et un gros bouchon de carafe en verre coloré.

Le désappointement des jeunes détectives est intense. Cependant, soucieux de ne pas peiner le malheureux Pierrou, ils s'extasient sur ses « trésors ». Après quoi ils prennent congé de lui...

Une fois hors de la cabane, Claude exprime son dépit :

— Encore une déception ! Sans parler du temps perdu !

— Allons ! s'écrie Mick. Ne nous décourageons pas ! Il nous reste encore à explorer les anciens fours à chaux de Saint-Brix. Qui sait ! Nous trouverons peut-être quelque chose de ce côté !

Hélas ! L'exploration des fours à chaux ne donne rien... pas plus que celle des ruines du vieux castel de Bellec. Durant deux jours, les Cinq continuent encore à sillonner la région, sans plus de résultat.

Le matin du troisième jour, ils se rendent au marché de Kernach pour renouveler les provisions de l'île. En général, ils rencontrent là-bas Pierrou qui aide les uns et les autres à installer leurs éventaires ou à vendre leurs produits fermiers. Or, ce jour-là, Pierrou n'est visible nulle part.

« Serait-il malade ? » se demande Annie toujours compatissante.

Elle fait part de ses inquiétudes à ses compagnons qui s'étonnent à leur tour. Où donc est passé Pierrou ? Annie s'informe auprès de la marchande de fleurs.

— Ah ! dit la vieille en hochant la tête. Il est malade, notre Pierrou ! Le docteur est allé lui porter quelques remèdes dans sa cabane. Et nous, nous le ravitaillons. On ne peut pas lui rendre visite tout le temps, bien sûr !

Annie s'émeut. Pauvre Pierrou, tout seul au milieu de son bois !

— Il faut aller voir s'il n'a besoin de rien ! dit-elle à ses frères et à sa cousine.

— D'accord ! acquiesce tout de suite Claude. Autant aller là-bas qu'ailleurs ! Nous ferons au moins une bonne action !

Les Cinq prennent donc le chemin de la cabane. Ils trouvent Pierrou allongé sur sa

paillasse, un peu fiévreux mais pas vraiment mal.

— Tiens, Pierrou ! s'exclame Mick. Nous t'apportons du sirop de cassis, des gâteaux et du chocolat.

— Ça t'aidera à guérir ! assure Annie.

Soudain, en bonne petite ménagère qu'elle est, elle s'aperçoit que le lit du malade est fort en désordre.

— Écoute, Pierrou ! poursuit-elle. Nous allons faire ton lit. Pendant ce temps, assieds-toi sur ce tabouret !

Une flamme inquiète passe dans les yeux du garçon. Il paraît vouloir protester. Puis, comme Mick lui offre une barre de chewing-gum, il se lève pour aller la prendre. Claude et François en profitent pour secouer les couvertures sur le seuil.

— Ce pauvre garçon couche sans draps, fait remarquer François. Mais nous pouvons toujours retourner sa paillasse.

La paillasse en question est posée à même le sol de terre battue. Quand Claude et son cousin font mine de la soulever, Pierrou pousse un cri et se jette sur eux pour les en empêcher.

— Ne... ne touchez pas ça ! ordonne-t-il.

— Qu'est-ce qui te prend, mon vieux ? questionne Mick en le retenant. On ne veut pas te la voler, ta paillasse !

Déjà François et Claude ont empoigné celle-ci. Alors, ils s'immobilisent en voyant ce qui se trouve dessous...

Les enfants n'en reviennent pas ! Le sol a été creusé à l'endroit du grabat de Pierrou. Trois coffres de fer sont alignés dans le trou. Et la paillasse fait office de couvercle.

Claude est tellement suffoquée par sa découverte qu'elle se met à bégayer, comme Pierrou.

— Le... les lingots... du... du *Galion d'or* !

Pierrou réussit à échapper à l'étreinte de Mick et s'empresse de remettre la paillasse à sa place

— Les... les messieurs ! Ils m'avaient fait pro... promettre de ne rien dire... Ils... m'ont do... donné beaucoup d'ar... d'argent pour garder leurs ba... baba... bagages. Quand ils reviendront... ils me ba... battront... s'ils savent que vous avez... vu ces... ces caisses !

Claude et ses cousins échangent des regards éloquents. Ils comprennent que leur enquête vient d'aboutir, alors qu'ils s'y attendaient le moins. Les bandits ont dû tout prévoir avec soin. La cachette relais, dans la

cabane de Pierrou, est d'une grande ingéniosité. Cela permet aux bandits d'opérer par phases successives, avec le minimum de risque pour eux. Seulement, ils n'ont prévu ni la maladie de Pierrou, ni la visite des enfants...

Claude retrouve enfin sa voix normale.

— Magnifique ! s'exclame-t-elle. Victoire ! Victoire ! Il ne nous reste plus qu'à aller prévenir les gendarmes. Ils transformeront cette cabane en souricière... et les bandits, quand ils reviendront, se feront pincer la main dans le sac !

[illegible] de Pyrénées est d'une grande [illegible]
[illegible]
[illegible]
[illegible]
[illegible]
[illegible]

Claude [illegible]

[illegible] demande-t-elle. [illegible]

[illegible] plus qu'à aller [illegible]

[illegible] Ils transporteront cette [illegible]

[illegible]

[illegible]

chapitre 9

Une mauvaise passe

Pierrou s'est de nouveau allongé sur sa paillasse, comme pour défendre son précieux dépôt. Cela convient tout à fait aux jeunes détectives. Ils s'élancent déjà vers la porte pour gagner au plus vite la gendarmerie, quand un furieux aboiement de Dago les cloue sur place.

— J'entends des voix ! murmure François.

— Le voilà qui se prend pour Jeanne d'Arc, maintenant ! lance Mick avec un clin d'œil malicieux aux filles.

La porte s'ouvre avant qu'il ait terminé sa phrase. Trois homme entrent : Biscou, Faral et Saint-Prat ! À la vue des Cinq médusés, les bandits froncent les sourcils. Faral bougonne :

— Encore ces maudits gosses !

Claude retient Dago. Les nouveaux arrivants font, des yeux, le tour de la cabane. Quand leur regard tombe sur Pierrou, celui-ci se met à trembler de peur et gémit.

— Non, non ! s'écrie-t-il en se redressant sur son grabat. Ils... ils n'ont rien vu ! Je ne leur ai pas montré les cai... caisses !

Le pauvre s'est trahi lui-même... et a du même coup trahi les enfants. D'un brusque élan, ceux-ci se précipitent vers la porte. Ils comprennent que seule la fuite peut les sauver. Hélas ! Les hommes sont plus rapides qu'eux. Aidés de Pierrou qui leur obéit passivement, ils attachent les quatre cousins ensemble, avec une corde qu'ils leur passent rapidement autour du corps. Quant à Dag, il est emprisonné sous un baquet retourné.

Ensuite, toujours aidés de Pierrou, les voleurs d'or sortent les caisses du trou et les transportent dehors pour les placer sur une charrette à bras. C'est ainsi qu'ils véhiculeront les lingots pour les charger, sans doute, dans une voiture garée plus loin sur la route.

Claude bout de rage. Après avoir été si près de la victoire, elle trouve son échec encore plus amer.

Les bandits reviennent une dernière fois, poussent Pierrou à l'intérieur de la cabane, puis ferment la porte sur lui... Presque aussitôt, de violents coups de marteau retentissent au-dehors.

— Ils clouent une planche en travers de la porte pour nous empêcher de fuir ! comprend François, consterné.

— Ils clouent aussi les volets ! annonce Claude en voyant soudain s'obscurcir l'unique fenêtre de la cabane.

Peu après, le silence retombe.

Les bandits sont partis. Annie, surmontant sa frayeur, demande à Pierrou de les délivrer, elle et les autres. Mais le jeune homme est trop bouleversé pour comprendre. Blotti dans un coin, il marmonne des mots sans suite... Cependant, à force de se démener, les enfants parviennent assez facilement à se débarrasser de leurs liens. Aussitôt libre, Claude court délivrer Dagobert.

— Ça aussi, ils me le paieront ! murmure-t-elle.

Tandis que Claude réconforte un Dagobert fort penaud, François et Mick éprouvent la

solidité de la porte et de la fenêtre, cherchant en vain à les ouvrir. Annie, pour sa part, s'emploie à rassurer l'infortuné Pierrou.

— Tout va bien, Pierrou ! affirme-t-elle gentiment. Ces hommes étaient méchants mais, tu vois, ils n'ont pas emporté ton trésor qui est toujours sous les fagots. Et toi, tu vas vite guérir. Nous t'enverrons le docteur dès que nous serons sortis d'ici !

— Sortis d'ici ! grommelle Claude en joignant ses efforts à ceux de ses cousins. Ce ne sera pas si facile ! Ces planches tiennent bon. Impossible de forcer la porte et les volets !

Dans la pénombre de la cabane, les enfants cherchent un outil quelconque pour les aider à faire sauter la porte. Ils ne trouvent qu'un vieux tisonnier, trop mince pour servir de levier.

— Flûte ! s'écrie Mick en le jetant à terre avec rage. Ce truc-là est bien incapable de nous aider !

— Attends un peu ! ordonne Claude en ramassant la tige de fer. J'ai une idée. Grattons la terre sous la porte. Quand nous aurons creusé suffisamment, nous filerons par ce tunnel. Les prisonniers s'évadent souvent de cette manière. Je l'ai lu dans un tas de bouquins !

— On peut toujours essayer ! acquiesce François.

Il prend le tisonnier et attaque le sol juste au-dessous de la porte. La terre, meuble, se laisse fouiller assez facilement. Mick et Claude creusent avec leurs mains. Annie déblaie en ramenant la terre à l'intérieur de la cabane. Soudain, Dag bondit et pousse Claude de côté d'un coup de sa grosse tête. Puis il se met à gratter à toute allure avec ses pattes de devant.

Claude éclate de rire.

— Bravo, Dag ! Tu n'as pas été long à comprendre !

— Ouah ! fait Dag sans interrompre son travail.

— N'est-ce pas que tu es le plus intelligent des chiens ?

— Ouah ! répond Dag d'un air convaincu sans cesser de creuser la terre.

— Tu es le roi des chiens détectives !

— Ouah ! Ouah ! approuve Dag en redoublant d'efforts.

Ce dialogue cocasse détend l'atmosphère, plutôt lugubre jusqu'alors. Les enfants éclatent de rire. Pierrou, gagné par la contagion, les imite. Alors Dago, comprenant que son comportement amuse ses compagnons, entreprend de faire le clown... Il creuse frénétiquement, s'arrête net, aboie, tournoie sur lui-même, saute après l'un ou l'autre en le débarbouillant d'un coup de langue, puis reprend sa besogne avec un redoublement d'ardeur...

Comme à lui seul il fait tout le travail, les enfants, mitraillés par la terre qu'il expulse, n'ont plus qu'à se tenir les côtes de rire. À ce train-là, ils ne doutent pas d'être libres bientôt.

Hélas ! Alors que Dag disparaît presque entièrement dans le trou et que l'on ne voit déjà plus que ses pattes de derrière et sa queue, il s'arrête brusquement. Cessant de faire le pitre, il se tourne vers Claude d'un air de... chien battu.

— Qu'y a-t-il, Dag ? demande Mick. Es-tu fatigué ? Pas étonnant vu la façon dont tu te démènes.

Claude, intriguée, s'agenouille pour tâter le fond du trou.

— Un pépin ! annonce-t-elle. Impossible de creuser plus profond ! Sous la terre, je sens le roc !

— Voilà bien notre chance ! s'exclame François d'un air sombre.

— Attends un peu ! poursuit Claude. Achevons de creuser un tunnel ! S'il est trop étroit pour nous, il permettra toujours à Dago de passer !

— Et alors ? soupire Mick. Nous serons bien avancés une fois qu'il sera dehors...

— Tu parles sans réfléchir, coupe Annie qui a déjà saisi l'idée de sa cousine. Nous confierons un message à Dag.

— Bien sûr, confirme Claude. Et je lui ordonnerai de filer droit aux *Mouettes*. Ensuite... à papa de jouer !

Tout se passe exactement comme l'a imaginé Claude. L'intelligent Dago, porteur d'un message attaché à son collier, sort de la cabane en rampant sous la porte et abat sans souffler les trois kilomètres qui le séparent des *Mouettes*.

Mme Dorsel le voit arriver, aperçoit le papier fixé au collier et, le cœur serré, déchiffre le message. Elle prévient alors son mari. Celui-ci téléphone en hâte à la gendarmerie et, sautant dans sa voiture, se précipite, Dag à son côté, pour délivrer les prisonniers.

Les gendarmes arrivent en même temps que M. Dorsel à la cabane de Pierrou. Une fois libérés, les enfants expliquent piteusement leur aventure. Sur le point de récupérer le trésor, ils ont échoué et s'en affligent profondément !

Cependant, le capitaine Baillard les félicite avec chaleur d'avoir retrouvé la piste de l'or volé. S'il a douté le moins du monde de la bonne foi des enfants, leur emprisonnement, la vue du trou sous la paillasse et les explications de Pierrou sont cette fois suffisants pour le convaincre.

Ce succès, tout moral qu'il soit, réconforte un peu les jeunes détectives.

— Et maintenant, décide M. Dorsel, rentrons vite aux *Mouettes* ! J'ai hâte de rassurer ta mère, Claude !

chapitre 10

Sur la piste de l'or

Une fois à la villa, les Cinq se mettent à déambuler tristement dans le jardin. Ils n'ont aucune envie de retourner sur l'île avant de savoir où en sont les recherches entreprises pour retrouver les bandits.

Ce soir-là, ils dînent donc aux *Mouettes* et y couchent. Le lendemain les réunit, assez peu en train, autour de la table du petit déjeuner.

— Je crois, dit Claude en soupirant, que, pour la première fois, une enquête menée par les Cinq va se terminer en queue de poisson. Si cela arrive, je ne m'en consolerai pas.

La sonnerie du téléphone l'interrompt. M. Dorsel se lève pour aller répondre. Quand il revient, son visage d'habitude sévère est souriant.

— Bonnes nouvelles ! annonce-t-il à sa femme et aux enfants. Le capitaine Baillard vient de m'apprendre que la voiture des bandits a été retrouvée... et eux avec !

Claude bondit de joie.

— Hourra ! Nous les tenons enfin !

— Pas tout à fait encore, hélas ! Biscou et Cie ont été victimes d'un accident. Ils ont embouti leur véhicule contre un arbre... Les gendarmes les ont retrouvés à l'hôpital !

Mick ne peut s'empêcher de rire.

— Bien fait pour eux ! Le crime ne paie pas !

— Mais la banque n'a pas encore récupéré ses lingots, poursuit M. Dorsel. Une fois de plus, l'or ne se trouvait pas à bord !

— Tonnerre de Brest ! s'écrie Claude qui n'emploie cette expression de marin que dans les grandes occasions. Dans ce cas, nous n'arriverons jamais à prouver leur culpabilité !

— Ne t'emballe pas, mon petit ! Écoute plutôt la suite... Faral, le plus atteint des trois, a de la fièvre et délire. Un policier, installé à

son chevet, a pris en note tout ce qu'il disait. Bien contre son gré, le bandit a ainsi révélé la vérité !

— Vraiment, oncle Henri ? Qu'a-t-il dit ? questionne Annie.

— Il a d'abord avoué que ses complices et lui étaient bien les pilleurs de banque. Voilà donc un point d'acquis. Ensuite, autant que ses propos décousus ont permis de le laisser entendre, les choses se sont passées de la manière suivante.

— Une minute, papa ! réclame Claude. Voyons si j'ai deviné juste ! À mon avis, Biscou, le chef du trio, a organisé avec ses complices la récupération des lingots à bord du *Galion d'or*. L'opération a pleinement réussi, cela nous le savons déjà ! Mais voilà comment j'imagine la suite. Pour une raison quelconque, panne de moteur ou autre, les voleurs n'ont pas pu emporter leur butin sur-le-champ. Ils l'ont donc entreposé provisoirement dans le souterrain du château de Kernach. Ensuite, quand ils ont voulu revenir le prendre, il leur a fallu agir avec prudence. Grâce aux Cinq, la police était à l'affût !

Claude a prononcé « grâce aux Cinq » avec une fierté naïve qui fait sourire ses parents.

— Bien raisonné, Claude ! approuve son père. Continue !

— C'est à ce moment, renchérit Claude, que les bandits ont eu l'idée d'opérer par relais. Ils diminuaient ainsi les risques d'être pris. Et cela a réussi puisque, lorsqu'on les a arrêtés la première fois, ils avaient les mains vides... Mais, à chacun de leurs déplacements, ils s'éloignaient un peu plus de Kernach. Le second de ces déplacements semble leur avoir été fatal !

— Malheureusement, coupe Mick, ils viennent apparemment de dissimuler les caisses dans une nouvelle cachette. Cela ne nous avance guère !

— Je ne suis pas de ton avis, dit François. Nous n'avons qu'à repartir à la chasse au trésor. Désormais, du moins, nous n'aurons plus rien à craindre des bandits !

— Bravo ! lance Claude avec son impétuosité coutumière. Remettons-nous en campagne dès aujourd'hui !

Mme Dorsel a mis en marche le poste de radio. Comme un écho à la voix de Claude, celle du journaliste s'élève soudain :

— Au sujet de l'affaire des lingots d'or dont les voleurs sont aujourd'hui sous les verrous, la banque nous charge de diffuser

le communiqué suivant : une prime de cent mille euros est offerte à la personne qui retrouvera l'or et le restituera. Les bandits refusent en effet d'indiquer l'endroit où ils ont caché leur butin. Les recherches menées par la police se poursuivent...

— Chic ! Une prime ! s'exclame Mick.

— Il nous faut battre les policiers de vitesse ! s'exclame Annie.

— Cent mille euros ! soupire François, rêveur. Cela fait une belle somme !

— Et dont nous aurions tout de suite l'emploi ! s'écrie Claude, les yeux brillants.

— Que veux-tu dire ? demande sa mère.

— Oh ! maman, ce serait tellement magnifique ! Le pauvre Pierrou habite une masure délabrée. Si nous gagnons cette prime, nous pourrons lui acheter une vraie maison et l'y installer avec le confort. Qu'en pensez-vous, vous autres ?

— Excellente idée ! acquiesce François.

— Épatant ! ajoute Mick.

— Merveilleux ! renchérit Annie.

— Ouah ! conclut Dagobert.

La générosité de Claude et de ses cousins se manifeste une fois de plus. M. et Mme Dorsel en sont heureux.

De nouveau pleins d'entrain, les Cinq tirent des plans pour leur chasse au trésor. Cependant, avant de se lancer dans l'action, les enfants pensent qu'une visite à Pierrou s'impose : ils doivent s'assurer que leur ami va mieux et n'a pas été trop bouleversé par les événements de la veille.

— Ne lui parlons pas encore de nos projets pour lui, conseille François tandis qu'ils roulent en direction du petit bois. Le pauvre serait trop déçu si nous n'aboutissions pas.

— Nous aboutirons ! affirme Claude avec détermination.

À la cabane, ils trouvent Pierrou en pleine forme. Il est debout et contemple ses « trésors ». Mick lui offre une bille en verre, Annie un sucre d'orge, François un sifflet et Claude une vieille montre ayant appartenu à son père et qui marche fort bien. Pierrou est aux anges !

Fou de joie, il commence à danser à travers la pièce, agitant les bras, chantant et renversant chaise et tabouret. Dago, excité, se met à bondir lui aussi et à aboyer. Tous deux font les fous un grand moment tandis que les enfants rient.

Soudain, en retombant après une pirouette, Dagobert s'immobilise net. Le

poil de son dos se hérisse. Un sourd grondement lui échappe. Puis il aspire fortement et éternue. Claude se précipite... Le chien est en arrêt devant un mouchoir crasseux, blanc et rouge.

— Le mouchoir de Biscou ! constate Mick. J'ai vu le gredin qui s'épongeait le front avec pendant le transport des coffres !

— Magnifique ! se réjouit Claude. Je parie que mon chien est capable de retrouver la trace des bandits !

— Les bandits ! s'écrie François. Mais nous n'avons plus besoin de les retrouver ! Nous savons où les prendre puisqu'ils sont en prison !

— Tu me comprends mal, réplique Claude, impatientée. Je n'ai pas dit que Dag retrouverait les bandits mais leur trace.

— Je ne vois pas la différence ! grommelle François.

— Mais si ! intervient Mick. Claude veut dire que, si nous pouvons suivre la piste des bandits à partir de cette cabane, nous aboutirons forcément à l'endroit où ils se sont arrêtés pour cacher les lingots !

— Splendide ! s'exclame Annie, enthousiaste.

— Minute ! s'écrie François. Vous oubliez tous les trois que Biscou et ses complices ne sont pas partis à pied. Ils ont filé en voiture ! Comment Dago pourrait-il retrouver leur trace ?

— Ouah ! fait Dag d'un air convaincu. Ouah ! Ouah !

— Je crois, dit Claude en riant, que Dag a répondu à ta question. Il te rappelle que les bandits ont commencé par s'éloigner d'ici à pied, en poussant leur charrette à bras. L'endroit où ils se sont arrêtés pour charger la voiture nous fournira toujours une première indication. Ensuite...

— Assez parlé ! Ne perdons pas de temps ! conseille Mick. Tiens, Dag ! Respire à fond le doux parfum de ce suave mouchoir et tâche de ne pas t'évanouir.

Dag flaire gravement le tissu malpropre qu'on lui tend, puis trotte vers la porte en remuant la queue. Il ne reste plus qu'à le suivre.

Laissant Pierrou à la contemplation émerveillée de ses nouveaux « trésors », les enfants s'élancent après le chien, le cœur plein d'espoir. Dago va sans se presser, la truffe au sol, prenant grand soin de ne pas distancer ses compagnons.

Le chien suit pendant un bon moment la piste forestière aboutissant à la grande-route voisine. François reste sombre. Il finit par exprimer à nouveau ses craintes :

— Sur ce sentier, on voit nettement la trace du passage de la charrette à bras. Mais la route nationale n'aura certainement pas conservé l'empreinte des roues de la voiture.

— Attendons avant de désespérer ! déclare Claude.

Dag atteint enfin la route. Il lève alors le museau, prend le vent et lance un « Ouah ! » plein de promesses. Après quoi, il traverse la nationale et s'enfonce dans le sous-bois, de l'autre côté.

Les jeunes détectives se regardent, surpris.

— Ça, alors ! lance Mick. Ou Dago se trompe, ou les bandits ne sont décidément pas partis en voiture !

— Dago ne se trompe jamais ! proclame Claude avec force.

— Suivons-le vite ! décide Annie.

Les enfants marchent encore longtemps. Enfin, Dag débouche dans un espace découvert. Claude et ses cousins s'exclament en chœur :

— Les fouilles de Saint-Pardon !

On appelle ainsi, dans la région, les travaux entrepris pour dégager un antique monastère, lui-même bâti sur l'emplacement d'un village de l'époque mérovingienne. Les fouilles viennent d'être interrompues, faute de crédits, et l'endroit est parfaitement désert.

Sans hésiter, Dagobert disparaît dans le jardin du cloître. Les enfants se hâtent de le rejoindre.

Au centre de l'ancien promenoir du monastère, le jardin offre un spectacle chaotique. Sur les directives d'archéologues, des terrassiers ont éventré le sol et creusé de profondes tranchées.

De ces tranchées, les ouvriers ont exhumé des sarcophages mérovingiens qui, pour l'instant, se trouvent alignés dans un coin.

La truffe toujours collée au sol, Dag s'approche d'un de ces sarcophages et se met à le flairer avec obstination.

— Ouah ! fait-il alors en se tournant vers Claude.

— Dag ! Es-tu certain ? commence-t-elle, haletante.

— Ouah ! répète Dagobert.

Les garçons se précipitent en avant et, unissant leurs forces, soulèvent le lourd couvercle de pierre moussue. Claude et Annie se penchent pour regarder à l'intérieur... Un gros sac de toile renforcée gît dans l'originale cachette.

— Les lingots ! Hourra ! s'écrie François après avoir contrôlé fébrilement le contenu des sacs.

— Regardez ! Dag flaire le sarcophage suivant ! observe Annie.

Deux autres sacs sont découverts dans les cercueils voisins. Le contenu des trois caisses se trouve apparemment là au complet. L'or de la banque est retrouvé !

Fous de joie, les enfants se prennent par la main pour faire, autour des sarcophages, une ronde bruyante à laquelle Dag participe à sa façon.

— Il ne nous manque que de la musique pour danser ! déclare gaiement Mick en tirant de sa poche son petit poste de radio.

Mais ce n'est pas de la musique qu'il obtient. À la place, la voix du journaliste se fait entendre :

— Deux des pilleurs de banque, Biscou et Saint-Prat, ont réussi à s'enfuir de l'infir-

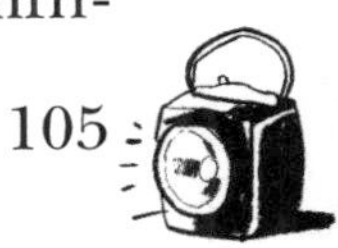

merie de la prison. La police ignore ce qu'ils sont devenus...

— Oh ! gémit Annie en pâlissant. S'ils sont en liberté, ils vont venir droit ici chercher l'or !

chapitre 11

Dagobert fait des siennes

L'instant est vraiment dramatique. Annie, apeurée, regarde autour d'elle, comme si elle s'attendait à voir surgir Biscou et Saint-Prat. Mick, inquiet, s'est placé devant les sacs d'or, comme pour les protéger. François essaie de réfléchir, tout en luttant contre la panique. Claude, dont le sang-froid et le courage ne se démentent jamais, même dans les circonstances les plus critiques, se tait et, sourcils froncés, fait appel à toutes les ressources de son esprit avant de prendre une décision. Dag, les yeux fixés sur elle, attend en silence.

— Ne nous affolons pas ! conseille enfin le chef des Cinq. Voyons ! Pesons les données de notre problème... Le trésor est là. Nous l'avons retrouvé, grâce à Dago. La prime offerte par la banque nous revient de droit. Mais il ne faudrait pas que, comme les deux fois précédentes, les bandits viennent reprendre leur butin sous notre nez.

— Puissamment raisonné ! jette Mick, un brin moqueur. Mais ces messieurs peuvent nous tomber dessus d'une seconde à l'autre. Une fois de plus, nous serons sans défense et les lingots disparaîtront à notre barbe.

— Ce qu'il faudrait, soupire François, c'est pouvoir les emporter tout de suite avec nous.

— Impossible ! fait remarquer Annie. Le temps de courir jusqu'au village pour alerter quelqu'un avec une voiture...

— Tu as raison ! coupe Claude. Aussi, je ne vois qu'une solution. Comme l'or est beaucoup trop lourd pour que nous le transportions, cachons-le près d'ici. Nous reviendrons le chercher plus tard... avec papa ou les gendarmes.

— Tu veux dire, le changer de place ? questionne Mick. Bonne idée. Mais où le cacherons-nous ?

Claude n'hésite pas.

— Traînons les sacs jusqu'à la tranchée la plus proche, décide-t-elle. Nous comblerons rapidement celle-ci avec de la terre. Jamais les bandits n'auront l'idée que leur butin est là, à leur portée.

Les trois Gauthier trouvent l'idée bonne.

— Vite ! Au travail ! lance François.

À eux quatre, les enfants ont vite fait de traîner les sacs au bord d'une profonde tranchée. Là, ils les font basculer et n'ont plus ensuite qu'à faire tomber dans le trou la terre entassée autour... Enfin, ils effacent les traces de leur travail. Celui-ci ne leur a pris que quelques minutes.

— Il nous reste encore à remettre en place les couvercles des trois sarcophages ! rappelle Claude.

— Dépêchons-nous ! presse Annie. Je ne suis pas tranquille !

— Moi non plus, avoue François. La radio n'a pas indiqué l'heure à laquelle les bandits se sont évadés. De toute manière, la ville où ils étaient emprisonnés n'est pas loin d'ici... Ils auront vite fait le trajet...

— Tout de même ! proteste Mick. Comme ils doivent se cacher, ils ne voyageront pas vite !

Bientôt, les trois pesants couvercles ferment à nouveau les sarcophages mérovingiens. Nul ne devinerait qu'on a ouvert les tombes de pierre.

— Et maintenant, vite ! Au village ! ordonne Claude.

C'est alors qu'il se passe une chose singulière. Au moment où, donnant l'exemple, elle se précipite vers le chemin de terre conduisant au bourg, Dago lui barre la route et lui mordille la cheville en gémissant tout bas.

Stupéfaite, Claude s'arrête dans son élan.

— Dago ! Que fais-tu ? Pourquoi m'empêches-tu de passer ?

Dag prend la main de Claude dans sa gueule, referme doucement ses crocs dessus et fait mine de la tirer en arrière.

— Ton chien ne veut pas que nous allions au village ! s'écrie Mick, très étonné.

Dag commence alors à filer dans une autre direction, puis il se retourne pour voir si sa petite maîtresse l'accompagne.

— Voyons ce qu'il veut ! dit Claude.

Dès que Dag comprend que les enfants semblent décidés à le suivre, il se précipite en avant et disparaît derrière un épais buisson. Intrigués, les quatre cousins se mettent à

courir. Ils trouvent Dag qui les attend, assis sur son postérieur. Au même instant, le bruit d'un moteur asthmatique leur parvient.

— Quelqu'un arrive du village ! dit François. Sans doute dans une vieille guimbarde ! Dag a entendu la voiture avant nous.

— Mais, pourquoi nous a-t-il empêchés d'aller à sa rencontre ? interroge Annie. Nous avons justement besoin d'une auto !

— Dag a sans doute ses raisons ! murmure Claude en regardant à travers les feuilles.

Mick regarde à son tour et siffle entre ses dents.

— Nom d'un pétard ! Biscou et Saint-Prat !

Ce sont bien eux, en effet, qui parviennent à l'endroit des fouilles, à bord d'une antique voiture pétaradante.

— C'est tout ce qu'ils ont dû trouver pour transporter leurs lingots ! souffle François.

— Quels lingots ? réplique Mick en se tordant de rire. Je te parie un œuf dur contre un coquetier qu'ils ne trouveront même pas une poussière d'or mérovingienne dans ces sarcophages.

Claude impose le silence à ses cousins.

— Chut ! Ce n'est pas le moment de plaisanter. Grâce à Dag, nous avons évité une

rencontre désastreuse. Cependant, quand les bandits s'apercevront que leur butin a disparu, ils chercheront certainement partout ! Ils auront vite fait de nous découvrir si nous ne disparaissons pas.

— Mais où aller ? questionne Annie avec anxiété.

Claude désigne du doigt la chapelle du monastère.

— Réfugions-nous dans le clocher ! suggère-t-elle. Ce serait bien le diable si ces coquins y montaient. Je pense que nous y serons à l'abri.

— Et puis, ajoute François, de là-haut, nous verrons ce qu'ils font !

Sans bruit, les Cinq se faufilent à travers les ruines, en direction de la chapelle. Ils se glissent à l'intérieur puis se mettent à gravir l'escalier en colimaçon qui conduit au campanile. Cette chapelle est la seule partie entièrement restaurée du monastère. Une fort belle cloche de bronze s'offre à la vue des enfants quand ils sont en haut des marches. Mick passe avec précaution sa tête par une petite fenêtre au-dessous de lui.

— Je les vois ! annonce-t-il tout bas. Ils sont en train de soulever le premier cou-

vercle... Allez, mes amis ! Courage ! Ho, hisse ! Coucou ! Le petit oiseau va sortir !

Claude et François répriment un début de fou rire mais Annie est inquiète. Les bandits seront furieux en ne trouvant pas leur or...

En bas, les deux hommes viennent de rabattre le couvercle du premier tombeau de pierre. D'un même élan, ils se penchent sur le sarcophage... Le temps paraît s'arrêter. Le silence est total. Puis, brusquement, la colère des bandits explose.

Des éclats de voix parviennent aux enfants.

— Ce n'est pas possible ! hurle Biscou. L'or n'a pas pu s'évaporer comme ça ! Si je tenais ceux qui nous l'ont volé !

— Nous nous sommes peut-être trompés de sarcophage ! émet Saint-Prat en recouvrant ses esprits.

— On va bien voir !

Avec des gestes fébriles, les deux hommes soulèvent successivement les couvercles de tous les autres sarcophages. Et, à chaque fois, leurs cris de rage font trembler Annie. À la fin, les bandits ne peuvent plus douter : les lingots ont bel et bien disparu !

— Volés ! Nous sommes volés ! s'écrie Biscou oubliant qu'il est lui-même un voleur. Qui a pu nous faire ça ?

— Je parie que ce sont ces maudits gosses ! répond Saint-Prat. Tu sais... ceux que nous trouvons tout le temps fourrés dans nos jambes ! Ils ont d'abord failli nous souffler le trésor au fond de l'épave ; ensuite ils nous ont gênés sur l'île ; enfin, ils ont suivi notre piste jusque chez Pierrou. Ce sont des malins !

— Tu as raison ! Je ne vois qu'eux pour nous avoir battus de vitesse. Et pourtant... comment auraient-ils fait pour emporter les lingots ?

— C'est curieux, en effet. Du reste, s'ils les avaient retrouvés, la police serait déjà au courant. Elle nous aurait tendu un piège ici même. Or, nous sommes toujours libres !

— Les gamins ont peut-être gardé le trésor pour eux ! insinue Biscou. Ah ! Si je les tenais !

À cet instant précis, un cri affreux rompt le silence alentour. Mick vient de marcher par inadvertance sur la patte de Dago. Et le chien hurle.

— Ouaaahhh !

chapitre 12

Claude en danger

Figés par la peur, les enfants retiennent leur souffle. Dag agite en l'air sa patte meurtrie, d'un air d'excuse. Mais le mal est fait. Son cri de douleur a attiré l'attention des bandits sur le clocher...

— Tu as entendu ? murmure Saint-Prat à Biscou.

— Je ne suis pas plus sourd que toi ! Cela vient de là-haut.

— On aurait dit un chien. Combien tu paries qu'il s'agit de celui des gosses ? Ces chenapans se sont cachés là-haut avec notre or.

— Ils n'auraient pas pu l'y monter, voyons !

— Alors, ils l'ont caché dans la chapelle. Viens ! Je suis sûr de ne pas me tromper !

Les deux bandits s'élancent vers la chapelle au pas de course. Annie frissonne.

— Oh ! Nous sommes perdus !

— Pas encore ! assure François. Si nous conservons notre sang-froid, nous pourrons peut-être leur échapper.

— Comment cela ? demande Mick.

— Grâce à la corde de la cloche !

— C'est cela ! approuve Mick en se précipitant sur la porte du campanile qu'il ferme au verrou. Quand les bandits arriveront et qu'ils essaieront de forcer cette porte, nous nous laisserons glisser tout le long de la corde jusqu'en bas... puis nous détalerons à toutes jambes. Le temps que les bandits redescendent, nous serons loin...

— Bravo, Mick ! Tu as compris mon intention !

— Et bravo pour ton idée, François ! jette Claude. J'espère que tu n'auras pas peur, Annie ! Déchirez chacun votre mouchoir en deux et enveloppez-vous les mains avec. Cela protégera vos paumes de la brûlure de la corde !

Brusquement, François s'aperçoit que Claude n'imite pas ses cousins. Il va l'inter-

roger mais en est empêché par les bandits qui arrivent. Dag aboie.

— Ouvrez ! ordonne Biscou en secouant la porte. Je vous ai entendus. Dépêchez-vous d'ouvrir !

— Vite ! souffle Claude à ses cousins. Filez ! Passe le premier, François. Suis-le immédiatement, Annie. Puis ce sera le tour de Mick. Vite ! Courez chercher du secours !

— Claude ! s'écrie Mick. Tu ne viens pas avec nous ?

Claude secoue résolument la tête.

— Non. Comme Dag serait bien incapable de suivre le même chemin que nous, je reste avec lui. À nous deux, nous tâcherons de retenir les bandits jusqu'à l'arrivée de renforts !

— Claude ! lance à son tour Annie. Viens, je t'en supplie.

— Inutile d'insister ! Hâtez-vous !

À présent, des coups sourds ébranlent la porte. Biscou et Saint-Prat auront vite fait d'abattre ce fragile obstacle. Le temps presse !

François prend Claude par le bras.

— Claude ! Ta vie peut être en danger. J'aime bien Dago mais ta sécurité passe avant la sienne.

Claude se dégage, non sans rudesse.

— Je n'abandonnerai jamais Dag ! Et je ne crains pas ces bandits. Quant à la sécurité, pense plutôt à celle d'Annie !

D'une main ferme, elle pousse François vers l'ouverture carrée par où disparaît la solide corde permettant d'actionner la cloche depuis le bas du clocher.

François cède, comprenant que chaque seconde perdue compromet leur chance de salut. Il empoigne vivement la corde à deux mains et se laisse filer jusqu'au sol. Bien entendu, la cloche se met en branle et lance des sons graves.

— Oh, non ! s'exclame Mick. Ce vacarme nous trahit !

— Pas du tout ! répond Claude. Les bandits vont simplement s'imaginer que nous tentons d'appeler au secours en sonnant le tocsin. Mais ils savent bien, aussi, que même si quelqu'un entend, personne ne se dérangera. Qui pourrait deviner ce qui se passe ici ?

Elle pousse Annie vers le trou.

— À toi, Annie ! Tiens bon la corde et laisse-toi glisser. Si tu as peur, ferme les yeux ! François te recevra en bas !

La cloche, par saccades, lance à travers les airs un appel heurté et aussi peu mélodieux

que possible. Elle achève de se déchaîner quand Mick, à son tour, disparaît – bien à contrecœur – par l'ouverture...

Le battant s'agite encore fortement un instant, puis le son décroît. Par la petite fenêtre du clocher, Claude voit ses cousins filer à toutes jambes vers le bourg. Leur évasion a réussi !

Vaillante, Claude reste seule avec son fidèle Dagobert pour affronter les bandits !

Un dernier coup ébranle la porte. Puis celle-ci vole en éclats. Les bandits font irruption dans le clocher...

À la vue du groupe formé par l'enfant et le chien, les deux hommes s'immobilisent, stupéfaits.

— Il n'y a que ce gamin... ou plutôt, que cette gamine ! lance Biscou qui se souvient de sa précédente méprise sur l'île. Où sont passés les trois autres ?

— Ils ne vous ont pas attendus ! déclare froidement Claude. Vous pouvez toujours courir pour les rattraper !

— Vingt millions de troupeaux de porcs ! s'écrie Saint-Prat qui n'en revient pas. Les mômes ont filé... par ce trou ! Et moi qui pensais qu'ils sonnaient pour alerter les villageois !

Biscou se fait menaçant. S'avançant vers Claude qui retient Dag prêt à s'élancer, il tonne :

— C'est toi qui as chipé les lingots avec l'aide de tes petits copains ! Allons, avoue ! Tes amis sont trop loin pour que nous les rattrapions mais, toi, tu es notre prisonnière. Tu vas nous dire où vous avez caché l'or... Et tâche de faire vite ! Nous devons être loin d'ici quand la police arrivera !

Pour toute réponse, Claude croise les bras sur sa poitrine en défiant les bandits du regard.

— Je n'ai rien à vous dire ! déclare-t-elle. Cet or ne vous appartient pas. Il doit être restitué à la banque !

Dago se met à gronder sourdement, prêt à s'élancer sur les ennemis de sa petite maîtresse au moindre commandement de sa part. Biscou ne paraît guère impressionné par l'attitude du chien. Il continue d'avancer...

Claude, ignorant si le misérable est armé et tremblant pour la vie de son fidèle compagnon, ordonne d'une voix claire :

— À terre, Dago ! Couché !

Saint-Prat ricane.

— Allons, petite ! Te voilà raisonnable ! Mais ne te fais pas prier pour nous dire ce que nous voulons savoir. Sinon...

Il a sorti de sa poche un couteau et le brandit de façon menaçante. Claude a un rire de défi.

— Je ne parlerai pas ! jette-t-elle, méprisante. Et si vous me coupez la gorge je parlerai encore moins, c'est sûr !

chapitre 13

Rien n'arrête les Cinq

Pendant ce temps, François, Mick et Annie, hors d'haleine, ralentissent le pas. Ils se trouvent au milieu des arbres et se rendent compte que personne ne les poursuit.

— Claude est en danger ! soupire François. Nous ne pouvons pas la laisser ainsi face à face avec ces misérables.

— Bien sûr que non ! affirme Mick. Retournons là-bas pour la défendre. Nous attaquerons les bandits par-derrière. L'effet de surprise jouera en notre faveur.

— Mais si nous échouons, nous serons perdus tous les cinq ! Savez-vous ce que nous

allons faire ? Toi, Annie, tu vas filer à travers bois et courir chercher du secours. Entretemps, Mick et moi, nous retournons dans le clocher.

— Mais... mais... bégaie Annie... je crains de me perdre en route ! Je connais mal la région...

Au même instant, deux enfants, un garçon et une fille, occupés à cueillir des mûres, apparaissent au détour d'un buisson. François hèle le premier.

— Hep ! Toi, là-bas ! Tu veux bien nous rendre un service ?

Le garçon s'approche en souriant. Il a un aimable visage.

— Un service ? Avec plaisir, répond-il. Je m'appelle Vincent et voici ma cousine Corine. Que voulez-vous ?

— Que tu conduises ma sœur Annie jusqu'à la gendarmerie du village. Elle vous expliquera en route. Le temps presse.

— D'accord ! s'écrie le jeune Vincent. Viens, Annie !

Annie suit les enfants après un dernier regard à ses frères. François se tourne vers Mick.

— Et maintenant, mon vieux, à nous de jouer. Volons au secours de Claude !

Comme les deux garçons s'élancent en courant, ils se heurtent presque à Pierrou qui arrive, effaré.

— La... la cloche ! bégaie le jeune homme. Elle a... a sonné !

Mick a une brusque inspiration.

— Pierrou, dit-il, les méchants hommes sont là-bas, dans le clocher ! Ils vont faire du mal à Claude... tu sais bien... Claude... qui t'a donné une belle montre ?

— Oui... oui... je l'ai... aime bien, Clau... Claude !

— Elle est en danger. Tu veux nous aider à la défendre ?

— Oui... oui.. Pier... Pierrou veut bien !

Mick a déjà échafaudé un plan. Il l'explique rapidement à Pierrou qui paraît comprendre... Quand les trois garçons sont arrivés en vue du clocher, François et Mick se débrouillent pour entrer inaperçus dans la chapelle. Alors, Pierrou court se poster au bas du clocher, à l'extérieur, et appelle très fort :

— Hé, là-haut ! Hé... hé... là-haut !

Biscou, cessant de menacer Claude, s'approche de la fenêtre pour regarder au-dehors. Instinctivement, Saint-Prat en fait autant. Alors, vive comme la poudre, Claude se précipite dans l'escalier en colimaçon, suivie de Dag. À mi-chemin, la fugitive rencontre ses cousins qui montent, armés d'outils de terrassiers trouvés dans un coin.

— Chic ! s'exclame Mick à la vue de Claude. Tu as pu t'échapper ! Vite ! Filons !

Mais déjà les bandits, un moment distraits par les appels de Pierrou, se sont ressaisis et s'élancent à leur tour... Les enfants sont dehors avant eux. Ils se ruent vers le bois pour s'y cacher, avec Pierrou... Hélas ! les bandits ont de longues jambes. Une poursuite effrénée s'engage parmi les arbres. Les Cinq déploient mille feintes pour dépister leurs poursuivants mais y réussissent mal. Pierrou, affolé, les suit comme leur ombre. À la longue, les enfants comprennent qu'ils doivent accepter d'affronter les voleurs d'or. Leur course folle les a ramenés dans le jardin du monastère, près d'un vieux puits où les religieux, jadis, puisaient leur eau.

François et Mick s'arrêtent, brandissant la pelle et la pioche dont ils sont armés. Claude a ramassé une branche dont elle entend se servir comme d'un gourdin. Dag gronde en découvrant ses crocs. Pierrou hurle comme une sirène d'usine.

— Nous les tenons ! jette Biscou.

Bâti en athlète, il ne craint pas les enfants. Du reste, la rage décuple ses forces. D'un seul élan, il bondit en avant. Pour éviter le choc, Claude s'écarte d'un geste vif. Au même instant, Mick avance la jambe et fait trébucher le bandit. Biscou, qui ne s'attend certes pas à pareille rencontre, perd l'équilibre et dégringole la tête la première dans le puits dont la margelle en ruine dépasse à peine le niveau du sol.

En voyant disparaître le plus dangereux de leurs adversaires, François réagit aussitôt... Il s'élance sur Saint-Prat, immédiatement imité par Dago. Le bandit ne se laisse pas faire ! Il empoigne François à la gorge, sans souci de Dag accroché à sa veste.

C'est alors que Pierrou intervient, galvanisé par l'exemple du chien. Il se suspend à l'un des bras du bandit tandis que Dag en profite pour attaquer celui-ci aux chevilles. Saint-Prat, immobilisé, appelle d'instinct Biscou à l'aide.

Hélas pour lui ! Biscou se trouve au fond du puits, et en fâcheuse posture lui-même. Le cri de Saint-Prat ne fait qu'attirer l'attention de Claude et de Mick, penchés sur la margelle. Tous deux se retournent et, d'un même élan, se ruent sur le bandit... Cinq minutes plus tard, celui-ci, attaché au bout de la chaîne du puits, est descendu par les enfants à côté de son complice.

Après quoi, posément, Mick décroche la chaîne et la laisse filer tout entière au fond du trou.

— Estimez-vous heureux que le puits soit à sec ! lance-t-il aux bandits. Et prenez votre mal en patience. Les gendarmes viendront bientôt vous tirer de là...

Claude et ses cousins, triomphants, restent désormais maîtres du champ de bataille. Leur victoire est complète ! Non seulement ils ont récupéré les lingots d'or volés par les bandits mais, de plus, ils ont fait ceux-ci prisonniers. Il ne reste plus qu'à les livrer à la police et à restituer leur butin à la banque.

Agenouillée dans l'herbe, Claude embrasse Dag sur le museau.

— Bravo, mon chien ! lui dit-elle. Bien travaillé ! Je suis fière de toi !

De leur côté, François et Mick félicitent Pierrou.

— Tu es un garçon courageux, Pierrou ! Tu nous as beaucoup aidés. Mais, sois tranquille, tu auras ta récompense !

Le jeune homme, rayonnant, se met à rire aux éclats.

Les enfants n'ont pas longtemps à monter la garde autour du puits et de la tranchée au trésor.

Annie, guidée par Vincent et Corine, a alerté les gendarmes de Saint-Pardon en un minimum de temps. Elle ne tarde pas à revenir, escortée des représentants de l'ordre. Un message-radio a déjà prévenu la gendarmerie de Kernach. Le capitaine Baillard et ses hommes arrivent sur les lieux presque en même temps que leurs collègues de Saint-Pardon.

Claude accueille joyeusement les deux groupes.

— Merci d'être venus à notre secours ! dit-elle aux gendarmes. Et merci à toi, Annie, d'avoir été aussi rapide... La représentation est terminée, ajoute-t-elle en s'adressant au capitaine Baillard avec un large sourire, mais il vous reste encore à prendre livraison de la marchandise...

— Quelle marchandise ? demande Baillard un peu éberlué en regardant autour de lui avec étonnement. J'ai été alerté pour vous prêter main-forte contre les bandits et...

— Et les bandits sont nos prisonniers ! coupe Mick. Si vous voulez leur passer les

menottes., vous n'avez qu'à les repêcher... là... au fond du puits.

— Quant aux lingots, enchaîne François, impassible, vous les trouverez dans cette tranchée, cachés sous un peu de terre.

— Saperlipopette ! s'exclame le capitaine, abasourdi. Vous en avez fait, de la besogne !

C'est tout ce qu'il trouve à dire tant il est stupéfait. Ce n'est qu'un peu plus tard qu'il songe à féliciter les Cinq, imité par les autres gendarmes...

chapitre 14

Épilogue

La veille de la rentrée, les Cinq vivent encore une grande journée... Depuis la capture des bandits, ils ont touché la récompense promise par la banque et visité plusieurs maisonnettes avant d'en trouver une pouvant convenir à Pierrou.

Ce matin-là, en grande pompe, ils se mettent en route pour installer leur ami dans sa nouvelle demeure. Gaiement, ils passent le prendre dans sa cabane, et le conduisent à l'entrée de Kernach.

Là, en bordure de la route dont elle est séparée par un joli jardin plein de fleurs, s'élève une petite maison blanche aux volets verts. M. et Mme Dorsel l'ont meublée eux-mêmes.

Claude prend Pierrou par la main et le fait entrer. Annie l'invite triomphalement à visiter l'intérieur de la maisonnette.

— Te voilà chez toi, Pierrou ! dit Claude. M. Pagloire, qui habite tout près, a promis de te procurer un travail régulier. Et sa femme veillera à ta nourriture. Es-tu content ?

Pierrou bat des mains de joie. Il court d'une pièce à l'autre et remercie ses amis, presque sans bégayer.

Les Cinq, le laissant à son bonheur tout neuf, enfourchent leurs vélos et reprennent le chemin des *Mouettes*.

— Demain la rentrée ! soupire Mick. Finies, les vacances !

— Mais elles auront été magnifiques ! lui rappelle Annie.

— Tu as raison, Annie, approuve François. Après un début décevant, notre aventure s'est achevée en beauté. Et elle nous a permis de rendre Pierrou heureux.

— Les Cinq ont triomphé, comme toujours ! s'écrie Claude. Nous sommes de merveilleux détectives. N'est-ce pas, Dag ?

— Ouah ! Ouah ! répond Dagobert.

Quel nouveau mystère le Club des Cinq devra-t-il résoudre ?

Pour le savoir, regarde vite la page suivante !

Claude, Dagobert et les autres sont prêts à mener l'enquête

Dans le prochain tome de la série :
Les Cinq et la statue inca

Cet été, une magnifique statue bolivienne est exposée à Kernach. Mais quand la sculpture manque d'être volée, les Cinq comprennent qu'elle cache un précieux secret... Pour Claude et ses cousins, pas d'hésitation : une enquête s'impose !

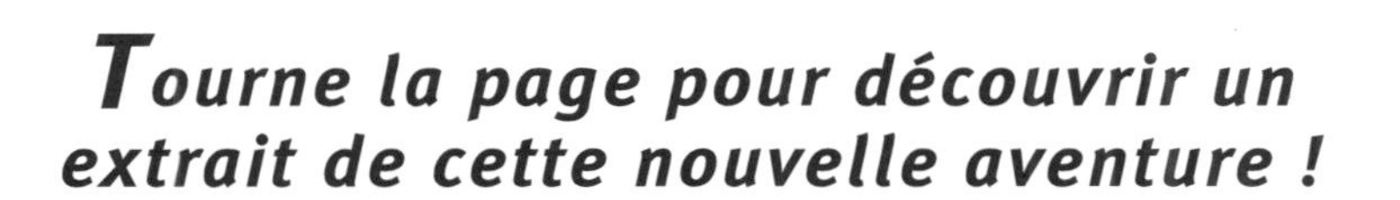

Tourne la page pour découvrir un extrait de cette nouvelle aventure !

chapitre 1

Un antiquaire bien bavard

— Comme le temps passe vite, Dag ! Tu ne trouves pas ?

Claude Dorsel, brune, mince, vive et plutôt grande pour ses onze ans, pose gravement la question à son chien Dagobert.

— Ouah ! fait Dag, qui est toujours d'accord avec sa jeune maîtresse.

Il frétille de la queue pour bien montrer le contentement qu'il éprouve à la retrouver. Les grandes vacances débutent à peine. Claude, arrivée l'avant-veille du lycée où elle est pensionnaire, reprend avec plaisir possession de son domaine estival : la *Villa des Mouettes.* C'est là, près de Kernach, au bord de la mer, qu'habitent ses parents.

Claude n'a ni frère ni sœur. Son meilleur et plus fidèle compagnon est certainement Dagobert – Dag ou Dago pour les intimes – qui partage tous ses jeux et qu'elle prend souvent pour confident de ses joies et de ses peines. L'intelligent animal la comprend, l'aime et la suit partout comme son ombre. Dans la région, on les appelle volontiers « les inséparables ».

— Tu te rends compte, continue Claude en secouant ses courtes boucles brunes. Nous avons plus de deux mois de bon temps à passer ici avec François, Mick et Annie ! C'est ça qui est chouette ! Sais-tu qu'ils vont arriver d'une minute à l'autre ? Ah ! comme je suis heureuse !

Dans sa joie, Claude attrape Dago par les pattes de devant et lui fait exécuter une gigue à sa façon dans l'allée centrale du jardin des *Mouettes.* Puis elle le lâche et tend l'oreille au bruit caractéristique du car poussif qui relie la gare de Kernach et les villages de la côte. Bientôt la voiture s'arrêtera devant la grille.

— Viens vite, Dag ! Ce sont eux !

Claude file comme une flèche vers le portail, Dago sur ses talons.

— Les voilà ! Les voilà ! Voilà mes cousins !

Le car s'arrête en gémissant. Un garçon de douze ans environ, grand et blond, saute à terre, suivi d'une petite fille aussi blonde que lui mais plus jeune de deux ans au moins.

— François ! Annie ! s'écrie Claude en se jetant à leur cou. Mais où donc est Mick ?

— Coucou ! Me voilà ! répond un garçon brun qui descend à son tour du car en remorquant deux énormes valises. Ouf ! Bien content d'être arrivé ! Quelle belle invention, les vacances !

Mick a le même âge que Claude. Tous deux se ressemblent étonnamment : même tignasse brune, mêmes yeux vifs, même sourire malicieux. Vêtus d'un jean et d'un polo, ils pourraient passer pour frères... car Claude a une allure décidée qui la fait souvent prendre pour un garçon.

— C'est bon de se retrouver ! déclare François avec un large sourire. Salut, Dago ! ajoute-t-il en serrant la patte que lui tend le chien.

Annie est rayonnante.

— Tante Cécile et oncle Henri vont bien ? demande-t-elle gentiment à sa cousine.

— Très bien. Ils vous attendent. Venez vite les embrasser !

François, Mick et Annie Gauthier passent traditionnellement les vacances chez Claude. M. et Mme Dorsel les accueillent toujours à bras ouverts. Le père de Claude, savant de grande valeur, supporte assez mal toutefois la présence de cette bruyante jeunesse : il a besoin de calme et de silence pour poursuivre ses travaux. Aussi les quatre cousins et Dag vivent-ils le plus possible au grand air, ce qui n'est pas pour leur déplaire.

En l'honneur des arrivants, Maria, la cuisinière, a préparé un alléchant goûter. Quand les enfants se sont régalés, ils s'installent dehors, sur la pelouse, au soleil, pour établir ce qu'ils appellent leur « programme des loisirs » : baignades, parties de bateau et aussi promenades à bicyclette dans les environs.

— À propos de bicyclette, dit Claude, nous pourrions dès aujourd'hui nous occuper des nôtres, qui attendent dans la remise, sous une bonne couche de poussière.

Un instant plus tard, les quatre cousins sont au travail, astiquant et graissant leurs vélos. Ce faisant, ils n'arrêtent pas de bavarder.

— Cet été, explique Claude, il y a plus de touristes que jamais dans la région. C'est sans doute pour cela qu'un tas de brocanteurs ont ouvert boutique jusque dans le moindre village.

— Les antiquités sont à la mode ! affirme François.

— Oui. Les brocanteurs font des affaires en or, m'a expliqué papa. Savez-vous qu'il y en a un à Kernach même ?

Et, sans cesser de manier vigoureusement son chiffon, Claude donne des détails :

— Il s'appelle Bastien Lezun. Je le connais un peu car, hier, maman est allée lui acheter une vieille lampe à pétrole. La nôtre était cassée. Vous savez que parfois, en temps d'orage, nous avons des pannes d'électricité. J'ai donc accompagné maman et parlé à ce brocanteur. Il est très gentil et nous a montré une foule de choses intéressantes et drôles.

— Un brocanteur, questionne Annie, c'est bien un chiffonnier ?

— Ha ! ha ! bien sûr que non, nigaude ! C'est un marchand d'objets anciens et souvent très beaux. Tu verras toi-même ! Aujourd'hui, si vous voulez, nous irons faire une petite visite d'amitié à ce sympathique Bastien Lezun !

Un peu plus tard, suivis de Dago, les enfants pédalent joyeusement en direction du village.

Claude a dit vrai, les jeunes Gauthier le constatent. La région est plus animée que les années précédentes. À Kernach, une foule de touristes se presse à l'intérieur de la boutique de Bastien Lezun qu'une enseigne amusante, *Antique pas en toc,* désigne de loin au public.

Quelques passants écrasent leur nez contre la vitre. Claude et ses cousins en font autant. Il y a là une telle profusion de petits meubles et de bibelots que chacun peut y dénicher un objet à son goût.

— Entrons ! propose Claude. Ce Bastien est terriblement bavard. Il nous a raconté qu'il venait de Paris pour la saison mais qu'il était originaire du Midi. Il adore parler !

Les enfants profitent de la sortie d'un groupe de clients pour pénétrer dans la boutique encombrée. Bastien est en train de faire l'article à d'éventuels acheteurs. C'est un garçon d'une trentaine d'années, brun et trapu, avec une voix chantante et des yeux pleins de malice et de gaieté.

— Hé bé ! lance-t-il. Qu'est-ce que vous lui trouvez de mal, à cette console ? C'est de l'authentique Louis XV. Les trous de vers sont Louis XV. Avec un peu de chance, vous trouverez dans le bois des vers fossiles, Louis XV eux aussi. Qu'est-ce que vous voulez de plus pour le prix ?

Les clients se mettent à rire et, comme le petit meuble est beau, ils l'achètent sans plus discuter. Bastien vend ensuite deux bibelots et les enfants se retrouvent enfin seuls avec lui.

Le brocanteur reconnaît Claude qui présente ses cousins.

— Vous avez la manière pour vendre votre marchandise, monsieur, dit François en souriant. Félicitations !

— Appelez-moi Bastien ! C'est plus sympathique. Quant à savoir vendre, bé quoi, c'est pas difficile. Quand les gens rient, ils sont tout prêts à se laisser convaincre d'acheter. C'est mon truc à moi !

Une sympathie réciproque naît spontanément entre Bastien et ses jeunes visiteurs. Le marchand d'antiquités connaît et aime son métier. Il montre avec orgueil aux enfants quelques très beaux objets. Il fait marcher, exprès pour Annie, une danseuse en tutu, gracieux automate qui décore une boîte à poudre musicale. François admire des couteaux. Mick s'amuse avec un vieux jeu de trictrac.

Claude s'extasie pour sa part devant une très belle maquette de caravelle. C'est une pièce rare, à laquelle Bastien tient particulièrement. L'admiration de Claude le flatte...

Cette première rencontre avec le brocanteur est suivie de beaucoup d'autres. Presque chaque jour, les Cinq font une petite visite à leur ami Bastien. Dag lui-même apprécie le jeune homme, qui a toujours un sucre à lui offrir.

— J'aime bien venir ici, avoue un jour la timide Annie à l'antiquaire. Avec vous, on ne s'ennuie jamais. Vous nous racontez des histoires drôles et vous êtes toujours de bonne humeur !

— J'ai d'autres défauts ! assure Bastien en riant. Je suis affreusement gamin et désordonné. C'est ce que me reproche souvent mon associé, qui est resté en ville tandis que je fais la saison ici. J'égare sans cesse factures et papiers. Si j'étais seul patron, je crois que je coulerais notre affaire. Et pourtant, ajoute-t-il naïvement, question métier, je suis un as !

Au bout d'une semaine, Claude constate tout haut :

— Nous voici tous réunis. Le Club des Cinq est au complet. Cinq détectives célèbres ! Cinq fins limiers ! Cinq fameux débrouilleurs d'énigmes... mais pas la moindre énigme à l'horizon !

François se met à rire.

— Comme tu es impatiente ! Les vacances commencent à peine, et tu veux déjà que nous nous mettions en chasse ! Les mystères ne peuvent pas fleurir sous notre nez, comme ça, sur commande !

Claude, assise sur la pelouse, passe son bras autour du cou de Dag.

— J'ai bon espoir, soupire-t-elle. Lorsque nous sommes ensemble, un problème vient toujours s'offrir à nous... C'est même pour cela que nous avons fondé le Club des Cinq ! À nous tous, nous formons une équipe sensationnelle !

— Toujours modeste ! murmure Mick, taquin.

— Tais-toi, moqueur ! coupe Annie. Tu sais bien que Claude est notre chef. C'est toujours elle qui a les meilleures idées quand il s'agit de tirer au clair une affaire embrouillée.

— Merci, Annie ! dit Claude, flattée. En fait, nous avons tous des idées. Je le répète, nous formons une bonne équipe.

— Mais une équipe de détectives sans problème policier à élucider, c'est comme un avocat sans cause ! fait remarquer Mick.

— Bah ! conclut François. Reposons-nous ! Amusons-nous ! L'aventure saura bien nous trouver... s'il doit y en avoir une !

Là-dessus, les quatre cousins et Dag engagent une partie de cache-cache mouvementée et ne pensent plus à rien.

Au bout de deux jours cependant, Claude recommence à s'impatienter. Elle déteste demeurer inactive... et considère comme de l'inaction le fait de ne rien faire d'autre que jouer, manger et dormir. Et puis...

Fin de l'extrait

Pour connaître la date de parution de ce tome,
inscris-toi vite à la newsletter du site :
www.bibliotheque-rose.com

Retrouve toutes les aventures du Club des Cinq en Bibliothèque Rose !

1. Le Club des Cinq et le trésor de l'île

2. Le Club des Cinq et le passage secret

3. Le Club des Cinq contre-attaque

4. Le Club des Cin en vacances

5. Le Club des Cinq en péril

6. Le Club des Cinq et le cirque de l'Étoile

7. Le Club des Cinq en randonnée

8. Le Club des Cir pris au piège

9. Le Club des Cinq aux sports d'hiver

10. Le Club des Cinq va camper

11. Le Club des Cinq au bord de la mer

12. Le Club des Cinq et le château de Ma

13. *Le Club des Cinq joue et gagne*

14. *La locomotive du Club des Cinq*

15. *Enlèvement au Club des Cinq*

16. *Le Club des Cinq et la maison hantée*

17. *Le Club des Cinq et les papillons*

18. *Le Club des Cinq et le coffre aux merveilles*

19. *La boussole du Club des Cinq*

20. *Le Club des Cinq et le secret du vieux puits*

21. *Le Club des Cinq en embuscade*

22. *Les Cinq sont les plus forts*

23. *Les Cinq au cap des Tempêtes*

24. *Les Cinq mènent l'enquête*

25. *Les Cinq à la télévision*

25. *Les Cinq et les pirates du ciel*

25. *Les Cinq contre le Masque Noir*

Tu aimes Le Club des Cinq ?

Tourne vite la page pour découvrir les autres séries classiques de La Bibliothèque Rose !

Le Clan des Sept

Le Clan des Sept va au cirque

Le Clan des Sept à la Grange-aux-Loups

Le Clan des Sept et les bonshommes de neige

Le Clan des Sept et le mystère de la caverne

Le Clan des Sept à la rescousse

L'Étalon Noir

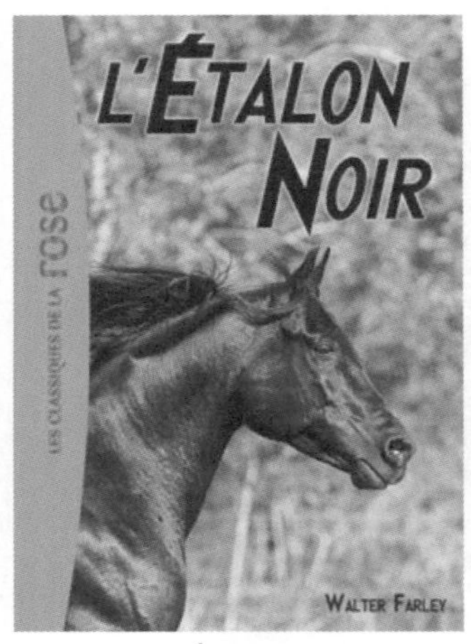

L'Étalon Noir

Le retour de l'Étalon Noir

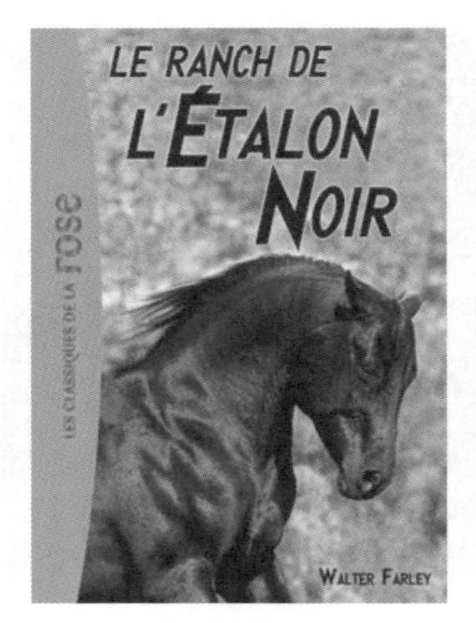

Le ranch de l'Étalon Noir

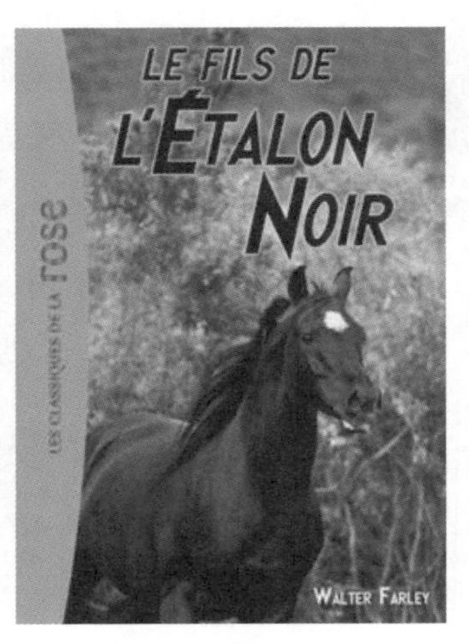

Le fils de l'Étalon Noir

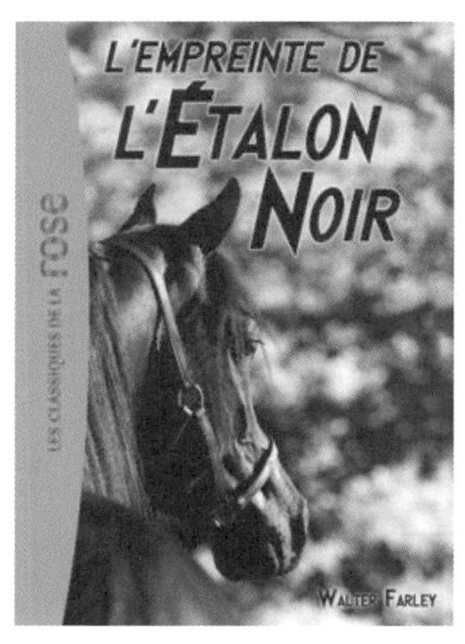

L'empreinte de l'Étalon Noir

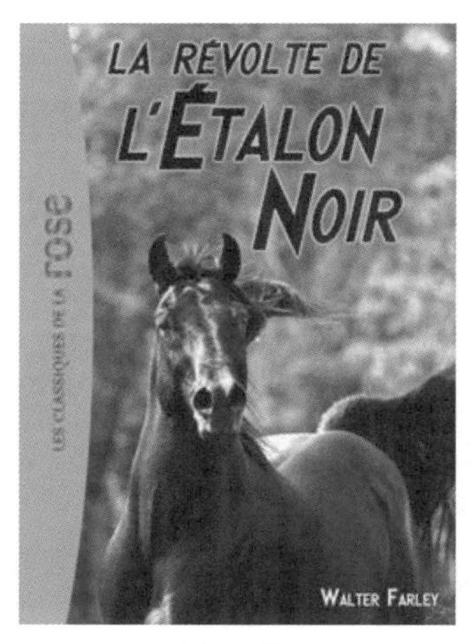

La révolte de l'Étalon Noir

Sur les traces de l'Étalon Noir

Le prestige de l'Étalon Noir

Fantômette

Les exploits de Fantômette

Fantômette et le trésor du pharaon

Fantômette et l'île de la sorcière

Fantômette et son prince

Les sept Fantômett

Fantômette
et la maison hantée

Fantômette contre le géant

Fantômette
et le Masque d'Argent

Hors-série
Les secrets de Fantômette

Table

hachette s'engage pour l'environnement en réduisant l'empreinte carbone de ses livres. Celle de cet exemplaire est de :

450 g éq. CO_2

Rendez-vous sur www.hachette-durable.fr

Composition MCP – Groupe JOUVE – 45770 Saran
N° 753339L

Imprimé en Roumanie par G. Canale & C. S.A.
Dépôt légal : juillet 2012
Achevé d'imprimer : janvier 2013
20.20.2911.4/02 - ISBN 978-2-01-202911-8